KU-774-428

MARQUIS DE ROCHEGUDE

Promenades

dans TOUTES les

Rues de Paris

PAR ARRONDISSEMENTS

ORIGINES DES RUES
MAISONS HISTORIQUES OU CURIEUSES
ANCIENS ET NOUVEAUX HOTELS
ENSEIGNES

VIIIe Arrondissement

PARIS

LIBRAIRIE HACHETTE ET Cie

79, BOULEVARD SAINT-GERMAIN, 79

1910
Tous droits réservés.

5331.

944 MH
ROC PAR

KA 0376241 6

Promenades

dans TOUTES les

Rues de Paris

———

VIIIe Arrondissement

COULOMMIERS

Imprimerie PAUL BRODARD.

PROMENADES

LES RUES DE PARIS

VIIIᵉ ARRONDISSEMENT

—

ÉLYSÉE

1er quartier : Champs Élysées.

2e quartier : Faubourg du
Roule.

3e quartier : Madeleine.

4e quartier : L'Europe.

Place de la Concorde.

Cette place est la plus belle du monde entier, et la
plus vaste de Paris. Elle a été commencée en 1754 sur
les dessins de Gabriel et elle fut inaugurée en 1763. Elle
s'appela primitivement place Louis XV, puis place de la
Révolution. Le dernier décret de la Convention la
nomma place de la Concorde. De 1814 à 1823, elle s'appela de nouveau place Louis XV, puis place Louis XVI,
jusqu'en 1830. Pendant peu de temps elle porta le nom
de place de la Charte et son nom actuel lui fut restitué.
(Voir au coin de la rue Boissy-d'Anglas deux inscrip-

tions juxtaposées : place Louis XVI et place de la Concorde.)

Au centre de la place se trouvait une statue équestre
de Louis XV. Cette statue, dont le piédestal avait été
posé en 1754, était de Bouchardon, et le monument avait
été achevé par Pigalle après la mort de Bouchardon.
Cette statue, inaugurée ainsi que la place en 1763, fut
renversée en 1792 et remplacée par la Liberté de Lemot
qui resta là jusqu'en 1800. La place était entourée primitivement de fossés et le 30 mai 1770, lors du feu
d'artifice tiré en l'honneur du mariage du Dauphin
(Louis XVI), il se produisit une panique qui coûta la vie
à 133 victimes. Les fossés furent comblés en 1852 et la
forme actuelle de la place est due à Hittorf. L'obélisque
de Louqsor a été érigée en 1836 par l'architecte Lebas
au moyen d'appareils représentés sur une des faces du
piédestal.

A l'Ouest de la place, à l'entrée des Champs-Élysées
se trouvent les magnifiques chevaux, œuvre de Guillaume Coustou, dits les chevaux de Marly. Ils avaient
été commandés en 1739, et installés aux abreuvoirs de
Marly en 1745. Transférés à Paris en 1794, ils furent
définitivement placés ici le 11 septembre 1795. A l'entrée des jardins des Tuileries, le Mercure et la
Renommée montés sur des chevaux ailés sont de Coy-
sevox. Ces monuments étaient antérieurement à Marly ;
ils sont ici depuis 1719.

La plus remarquable des statues des Villes, qui ornent
la place est celle de Strasbourg par Pradier. On prétend
que c'est le portrait de Mme Pradier : d'autres disent
que c'est celui de Mme Drouet qui avait été le modèle et
l'amie du sculpteur avant d'être l'amie de Victor Hugo.
Quoi qu'il en soit, cette statue, toujours couverte de cou-

ronnes depuis la Guerre, est restée le but de patriotiques pèlerinages. La tête de la statue représentant la
ville de Lille fut enlevée par un boulet pendant la Commune. Le piédestal de la statue de Brest, œuvre de
Cortot (1830), servit de base à l'autel où on célébra le
6 juillet 1848 une cérémonie funèbre en l'honneur des
victimes.

La guillotine, qui opérait auparavant place du Car-
rousel, fut transportée sur la place de la Révolution,
entre la statue de la Liberté et l'entrée des Champs-Élysées, pour l'exécution de Louis XVI le 21 janvier 1793.
La Reine, Charlotte Corday, les Hébertistes, les Dan-
tonistes, les Girondins, le duc d'Orléans furent exécutés
entre le Pont Tournant et la statue. Du 21 janvier 1793
au 3 mars 1795, la place fut le théâtre de l'exécution de
plus de 2 800 victimes (Mme Roland, Mme Du Barry,
C. Desmoulins, Danton, Fabre d'Églantine, St-Just,
Couthon, Carrier, Robespierre, etc., etc.). La guillotine
fut transportée pendant quelque temps place du Trône-
Renversé (Nation), mais elle revint place de la Révolution le 9 Thermidor, pour l'exécution de Robespierre et
de ses complices.

En 1814, les Alliés firent célébrer sur la place un *Te
Deum* solennel, et, il faut l'avouer, plusieurs dignitaires
de l'Empire osèrent y assister. Une exposition indus-
trielle eut lieu sur la place en 1834.

Au Nord, la place est bordée par deux beaux hôtels
à colonnades corinthiennes, élevés de 1763 à 1772 sur
les dessins de Gabriel et destinés primitivement au logement des ambassadeurs.

N° **10**. Bâti en 1775 par Trouard, intendant général
et contrôleur des bâtiments du Roi. Gabriel appliqua la
façade. Loué avant l'achèvement au duc d'Aumont (1777).

Les époux Trouard rentrent en possession après la mort du duc (1782). Ambassade d'Espagne (1782). Les Trouard vendent en 1788 au comte de Crillon. Hôtel meublé pendant la Révolution. Duchesse de Crillon (1820). Marquis de Crillon (1835). Sa fille, la duchesse de Polignac (1869-1904). Hôtel dit de Crillon. Hôtel meublé depuis 1907. Les belles boiseries qui décoraient cet hôtel ont été vendues et transportées ensuite en partie à l'hôtel du prince de La Tour d'Auvergne-Lauraguais (2, avenue La-Motte-Picquet). Il avait été question autrefois d'installer ici l'hôtel des Monnaies.

N° **8**. Pierre-Louis Moreau, architecte du roi. M. Lambert de Fougères. Vicomtesse de Chézelles. Péan de St-Gilles, notaire (1830). M. Cartier. Annexé en partie à l'Automobile Club. (Numérotage de la Restauration à côté de la porte.)

N° **6**. Rouillé de L'Estang, secrétaire du roi (1775). Marquis de Pastoret (1819). Marquise du Plessis-Bellière, qui le légua au Pape pour en faire une nonciature. Le pape Léon XIII après un long procès en resta propriétaire et le vendit. Automobile Club.

N° **4**. Ancien hôtel de la marquise de Coislin, née Mailly (1776). Cercle de la rue Royale. Ce cercle, primitivement appelé Petit-Cercle, avait été fondé en 1852 rue Le-Peletier, en face de l'Opéra. Il alla ensuite boulevard des Capucines, rue Boissy-d'Anglas, puis 3, rue Royale, et a acheté l'immeuble actuel en 1891, moyennant la somme de 2 800 000 francs.

N° **2**. Ancien Garde-meuble du mobilier de la Couronne. A son arrivée d'Autriche, Marie-Antoinette y descendit. Le garde-meuble fut envahi en 1789 et en 1792. Le diamant appelé le Régent (actuellement au Louvre), et d'autres bijoux y furent volés le 17 septembre

1792 par Cambon, Douligny et des complices. Ministère de la Marine depuis 1792. Le 21 janvier 1793, les Commissaires chargés de dresser le procès-verbal de l'exécution de Louis XVI, se tinrent au premier étage. En 1871, le ministère de la Marine, fut occupé comme position militaire par les insurgés et il fut sauvé d'une ruine complète par l'arrivée des troupes régulières. Le ministère de la Marine possède de beaux salons. A droite et à gauche de la porte d'entrée de la place de la Concorde, nous voyons un numérotage en blanc sur fond rouge. C'est ainsi que, d'après le système Frochot, on numérotait les maisons des rues parallèles à la Seine.

Rue St-Florentin (côté impair).

N° **7.** Mme de Souza, mère de Charles de Flahault (1829). Elle alla ensuite habiter et mourir 50, rue St-Honoré. Ferdinand de Lesseps y habita.

N° **9.** Le maréchal de Ségur au commencement du premier Empire. Le prince Poniatowsky sous Napoléon III. (Propriété de M. le marquis de Las Cases.)

N° **11.** Hôtel de Chiverny. Le marquis de La Valette, ambassadeur à Londres, ministre des Affaires étrangères sous Napoléon III, y habita et y mourut. Il avait épousé sa cousine, Mlle de Flahault, fille de Charles de Flahault, le père du duc de Morny.

N° **13.** Habité par M. Gaston Jollivet, homme de lettres et M. Victor de Cottens, auteur dramatique.

La rue St-Florentin se termine **rue St-Honoré**, qui n'a qu'un petit parcours, de la rue St-Florentin à la rue Royale, compris dans notre arrondissement. Le 275, où se trouve actuellement le restaurant des Fleurs, est sur l'emplacement de la maison de Héron, où Marat se

cacha en 1790. Lamourette et Couthon habitaient également dans ces parages en 1792. Au coin de la rue Royale,
du côté impair de la rue St-Honoré, se trouvait il y a peu
d'années un débit de vins établi là depuis deux siècles.
Ce débit s'ornait d'une enseigne en bois sculpté et doré
où était figurée l'ancienne porte St-Honoré démolie en
1723.

Rue Richepanse (côté impair).

Percée en 1807 sur une partie des terrains du couvent
de la Conception. Doit son nom au général Richepanse
qui mourut à la Guadeloupe (1770-1802).

N° **9**. Ferdinand de Lesseps y habita.

N° **11**. Cette maison était occupée il y a peu de temps
encore par l'hôtel meublé du Danube, qui fut habité par
Meyerbeer en 1855.

La rue Duphot et le boulevard de la Madeleine,
qui n'ont que quelques maisons (côté impair) dans le
VIIIe arrondissement, nous mèneront place de la Madeleine.

Place de la Madeleine.

Formée en 1815 sur les terrains qui dépendaient de
l'ancienne église de la Madeleine qui était située au
coin des rues de la Ville-l'Evêque et de la Madeleine.

* L'église Ste-Marie-Madeleine, dite la Madeleine,
occupe l'emplacement de l'ancien hôtel de Chevilly,
qui datait de 1728. L'église fut commencée en 1764 par
Contant d'Ivry. En 1777, l'architecte Couture voulut
imiter le Panthéon d'Agrippa de Rome, et détruisit tout
ce qui avait été exécuté. Il fut lui-même arrêté dans ses

travaux par la Révolution. Par décret de Posen (1806) Napoléon chargea Pierre Vignon de construire le Temple de la Gloire, et l'édifice conserva ce nom jusqu'en 1815. Une ordonnance de 1816 rendit au temple sa destination primitive. En 1828 l'architecte Huvé continua les travaux et l'église, terminée en 1842, fut consacrée la même année et ouverte au culte en 1843. (Voir l'inscription placée sur le côté Est extérieur de l'église.) La Madeleine fut cédée à la Ville en 1842. — Le fronton est de Lemaire, les portes en bronze sont de Triquetti, les bénitiers sont d'Antonin Moyne. La sculpture des voûtes à l'intérieur est de Foyatier, Rude, et Pradier. La Madeleine aux pieds du Christ, derrière le maître autel, est du peintre Zügler. Dans la chapelle basse, dite de N.-Dame de la Compassion, ont été inhumés les restes de l'abbé Deguerry, curé de la Madeleine, fusillé par les Communards à la Roquette. La statue qui représente la victime est d'une grande ressemblance et est due au ciseau du sculpteur Oliva.

Derrière l'église se trouve la statue de Lavoisier, œuvre de sculpteur Barrias et de l'architecte Gerhardt, érigée en 1900. On sait que Lavoisier, condamné à mort comme appartenant au corps des fermiers généraux, par le tribunal révolutionnaire, demanda en vain un délai de quelques jours pour achever ses travaux utiles à l'humanité. — Autour de l'église se tient le marché aux fleurs.

A la place, vient se terminer la **rue de Sèze**, qui n'a que deux maisons dans le VIIIe arrondissement (Voir le IXe.)

N° **7**. Jules Simon y habita cinquante ans et y mourut (1896). Sa statue, œuvre de Denys Puech et de Scellier de Gisors, a été inaugurée en 1903 en face de cette maison qui fut également habitée par Amédée Thierry de 1820 à 1829, et par Meilhac.

La fontaine, dessinée par Davioud, qui se trouvait sur l'emplacement de la statue de J. Simon a été transportée dans le petit square qui se trouve au point de rencontre du boulevard de La-Tour-Maubourg avec l'avenue de La-Motte-Picquet (VIIᵉ arrondissement). L'autre fontaine qui se trouve de l'autre côté de la place, près de la galerie de la Madeleine, doit, dit-on, être transférée place François Iᵉʳ pour faire place au monument projeté de Victorien Sardou.

Nº **4**. M. Saint-Saëns, l'illustre compositeur, y habita.

Nº **2**. Restaurant Durand, qui eut son heure de célébrité politique à l'époque du général Boulanger. Déjà en 1848, c'était le lieu habituel des réunions des députés de l'opposition.

Nº **7**. Habité par M. Adrien Hébrard, directeur du *Temps*.

Nº **9**. **Galerie de la Madeleine**.

Nº **17**. Habité par M. André Rivoire, homme de lettres.

Nº **21**. **Passage de la Madeleine** (1815). S'appela passage de la Ville-l'Évêque.

Nº **21**. **Rue Chauveau-Lagarde** (1824). Prolongée en 1862 jusqu'au boulevard Malesherbes. Doit son nom au défenseur de Marie-Antoinette, de Madame Elisabeth, de Charlotte Corday (1756-1841). Au 2 habite Mlle Zambelli, de l'Opéra.

Nº **27**. Marché de la Madeleine, construit en 1834 sur les terrains de la compagnie Chabert.

Rue Tronchet.

Ouverte en 1824 jusqu'à la rue des Mathurins et prolongée en 1858 jusqu'au boulevard Haussmann. Nom en mémoire du défenseur de Louis XVI (1726-1806). La rue occupe une partie de l'emplacement de l'ancien couvent de la Ville-l'Evêque, et de la ferme des Mathurins.

N° 2. Habité par M. Charles Mérouvel, homme de lettres.

N° 5. Fut, dit-on, habité par Chopin. Mme Dinah Félix, la dernière sœur de Rachel, y mourut en 1909. Elle était née en 1837. Les autres sœurs de Rachel furent Sarah, qui était l'aînée, Rebecca, et Léa qui mourut il y a peu d'années.

N° 7. Hôtel de Mme la comtesse E. de Pourtalès, construit par Duban.

N° 13. Fut habité par Lamennais.

N° 18. Enseigne : « A l'Art moderne ».

N° 19. Rue de Castellane (1825). Percée sur l'emplacement de l'hôtel de Castellane, hôtel qui avait été construit en 1780 par Cellerier. Au 8 de la rue de Castellane s'ouvre la rue Greffulhe (1839), qui dut son nom au comte Greffulhe, propriétaire des terrains.

N° 26. Rue Vignon (côté impair). (Voir le IXe arrondissement).

N° 35. Maison à l'enseigne des Tortues. Cette maison surélevée d'un étage faisait partie de l'ancienne rue de la Ferme-des-Mathurins (rue Vignon). Elle a été raccordée avec le boulevard Haussmann.

Rue des Mathurins.

(Partie comprise entre la rue Tronchet
et le boulevard Malesherbes.)

Avant 1792 cette partie s'arrêtait à la rue de l'Arcade.
Elle fut prolongée à cette époque jusqu'à la rue de la
Madeleine (Pasquier actuellement), à travers les dépen-
dances du couvent de la Ville-l'Évêque, et elle n'atteignit le boulevard Malesherbes qu'en 1862.

N° **32**. Hôtel de François de Beauharnais, père d'Alexandre de Beauharnais qui fut le mari de Joséphine. (Voir
dans la cour l'inscription du nom de l'hôtel.) Sous le premier empire, cet hôtel fut habité par la comtesse de
Choiseul-Gouffier, plus connue sous le nom de princesse
Hélène de Bauffremont.

N° **34**. Hôtel de M. G. Beer.

N° **36**. Théâtre de Mathurins, fermé pendant plusieurs
années et ouvert de nouveau en 1910.

N° **40**. Emplacement de l'hôtel de l'amiral Baudin.
Théâtre Michel fondé en 1908 par M. Michel Mortier.
Ce théâtre situé en sous-sol fut envahi par les eaux
lors de l'inondation de janvier 1910.

N° **42**. Le terrain fut acheté en 1776 par Julie
Careau, et Brongniart construisit là un hôtel qui s'étendait sur l'emplacement du 67, boulevard Haussmann,
qu'il traversait jusqu'au prolongement de la rue de
Provence. Cet hôtel fut achevé en 1778 et ce fut le
vicomte de Ségur qui paya l'achèvement. Vendu en
1780 au comte Le Peletier d'Aunay. Le général Brune
(an IX). Sa veuve le revendit en 1815. Le prince de la
Paix, don Manuel Godoy, y résida. Cet hôtel a été
démoli en 1895.

N⁰ **44**. Hôtel du comte de Lagrange, ministre du roi Jérôme de Westphalie. Photo Club aujourd'hui. A côté et du même côté se trouvait, sous Louis XVI, l'hôtel du marquis de Louvois.

Rue de l'Arcade.

Jadis chemin d'Argenteuil, puis rue de Pologne en 1780. Les jardins des religieuses bénédictines de la Ville-l'Evêque qui s'étendaient des deux côtés de la rue communiquaient par une arcade qui existait encore en 1850. Cette arcade qui datait de 1651 se trouvait à hauteur des 15 et 18 actuels. Le couvent lui-même se trouvait du côté des chiffres pairs, au coin de la rue de Surène. Le conventionnel Lebas après son mariage avec Elisabeth Duplay en 1793 vint se fixer rue de l'Arcade au numéro 21 (ancien). Le peintre Brascassat logeait vers 1844 au 32 (ancien), avant d'aller 27, rue de Laval.

N⁰ **57**. Hôtel du comte de Pansemont, beau-père de M. de Tournon, gouverneur de Rome et sénateur sous l'Empire. (Propriété de Mme la marquise de Croix.)

N⁰ **40**. Hôtel de la compagnie des Wagons-Lits (1903). Sur la façade qui est du côté de la rue des Mathurins nous voyons une grande horloge et un plan du Transsibérien.

N⁰ **34**. Maison assez curieusement décorée (1856).

N⁰ **31**. **Passage Puteaux** (1839), communément appelé passage Pasquier. Nom du propriétaire qui le fit construire.

N⁰ **17**. Hôtel Bedford. L'Empereur de Brésil Pedro II y mourut en 1891.

N⁰ **22**. Emplacement de l'hôtel de Soyecourt, puis Castellane, puis Lubersac, construit en 1780 par Cellerier et où mourut en 1789 le « très excellent prince maréchal de Soubise ». L'hôtel a été détruit par la rue de Castellane.

Rue Pasquier.

Jadis rue de la Madeleine. Prolongée en 1862 de la rue des Mathurins à la rue de la Pépinière. Nom actuel en 1865 en l'honneur du chancelier Pasquier (1767-1862). Le bailli de Fleury, ambassadeur de la religion de Malte, habitait la rue en 1774. Siéyès était au 18 (ancien) en 1812.

N° **25**. Habité par M. Paul Plan, artiste dramatique.

N° **27**. Rue **Tronson-du-Coudray** (1792). S'appela rue Notre-Dame-de-Grâce. Nom actuel en 1867 en mémoire de l'un des défenseurs de Marie-Antoinette (1750-1798). Au 3, Eyraud et Gabrielle Bompard assassinèrent l'huissier Gouffé et cachèrent son cadavre dans une malle.

N° **42**. Joli pavillon.

La rue Pasquier longe le **square Louis-XVI** créé en 1865 sur l'ancien cimetière de la Madeleine. C'était jadis l'ancien potager des Bénédictines de la Ville-l'Évêque et il attenait à l'ancienne église de la Madeleine. En 1659 ce potager fut transformé en cimetière de la Madeleine, et son entrée était 48, rue d'Anjou. Là furent enterrés les victimes du feu d'artifice de la place Louis-XV (1770), les Suisses du 10 août (environ un millier), le roi Louis XVI, la reine Marie-Antoinette, Philippe-Égalité, et 1 343 victimes du Tribunal révolutionnaire. Ici furent inhumés les Girondins Brissot, Gensonné, Valazé, Vergniaud, etc., ainsi que Custine, Charlotte Corday, Mme Roland, Bazire, Faucher, le général Westermann, le général de Luckner, le con-

seiller de La Touche, Carra, le capitaine de vaisseau
Duplessis-Grenedan, l'abbé d'Espagnac, d'Abzac, le
président Le Pelletier de Rosambo, Bailly, Gilbert de
Voisins, Barnave, Rabaud St-Étienne, Mme Du Barry,
Lamourette, le duc de Biron, Hébert et sa veuve, Fabre
d'Églantine, Chabot, Camille et Lucile Desmoulins,
Hérault de Séchelles, Chaumette, Gobel, Bochard de
Sarron, Lefebvre d'Ormesson, Malesherbes, Danton,
de Loménie, le lieutenant général de La Tour-du-
Pin, etc., etc. (2 830 corps sans compter les Suisses).
— Le cimetière fut désaffecté le 25 mars 1794 : il fut
mis en vente et adjugé à Olivier Desclozeaux, ancien
magistrat royaliste qui avait assisté aux inhumations et
qui acheta également le 48 de la rue d'Anjou. C'est lui
qui détermina l'endroit où avaient été inhumés le roi et la
reine dans la chaux vive. Des fouilles furent faites le
20 janvier 1815 et on retrouva quelques restes du roi et
de la reine, restes qui furent transportés à St-Denis.

*La chapelle expiatoire fut construite sur les ordres
de Louis XVIII par Percier et Fontaine. Elle fut
achevée en 1826. L'autel de la crypte s'élève à l'endroit
précis où on a découvert en 1815, à la place indiquée
par Desclozeaux, les restes du roi et de la reine, placés
entre deux lits de chaux vive. Dans la chapelle, groupe
en marbre blanc, représentant Louis XVI et son confes-
seur (œuvre de Bosio), et groupe d'un seul bloc de
marbre de Marie-Antoinette et de la Religion sous les
traits de Mme Élisabeth (œuvre de Cortot).

Rue d'Anjou.

Ouverte en 1649 entre le faubourg St-Honoré et la
rue de la Ville-l'Évêque, elle fut prolongée en 1721

jusqu'à hauteur de la rue des Mathurins et en 1778 jusqu'à la rue de la Pépinière. Ce dernier tronçon porta primitivement le nom de rue Quatremère, en mémoire d'un échevin. La rue s'appela rue des Morfondus, puis avant 1881 rue d'Anjou-St-Honoré. Nom en l'honneur du duc d'Anjou, fils de Henri II et de Catherine de Médicis (Henri III).

Mlle Contat habitait en 1780 le 2 (ancien). Mlle Laguerre habita la rue ainsi que Mme Récamier qui logea quelque temps dans un petit hôtel que le chancelier Pasquier lui avait prêté. Falconet fut propriétaire dans la rue. Le marquis de Rochegude, brigadier des armées du roi, loua en 1760, dans la rue, une petite maison attenante à la maison du comte de La Marck (rue de Surène), pour le compte d'un régiment des gardes françaises, où il était capitaine, et le maréchal de Biron approuva cette acquisition. Cette maison appartenait à M. Luzard. Helvétius eut un hôtel dans la rue, hôtel qui passa à sa fille la comtesse de Meun, puis à Mmes de Seignelay et de Beljiojoso. L'hôtel de la princesse Beljiojoso avait été précédemment occupé par Mme de Malesherbes. La princesse fut l'amie d'Alfred de Musset qui, brouillé avec elle, écrivit les vers *Sur une morte*. Les murs du salon de cet hôtel étaient tendus de velours noir parsemé d'étoiles d'argent. La princesse de Beljiojoso quitta en 1848 cet hôtel, aujourd'hui démoli, pour aller s'installer rue de Courcelles. La comtesse de Boigne, auteur des fameux mémoires légués par elle à son neveu le marquis d'Osmond, habita la rue d'Anjou ainsi que le marquis de Bourgade, la maréchale Maison, la duchesse de Rozan, le général Ventura, etc., etc. En 1856, la Légation de Suède était située rue d'Anjou. Les parents des frères Deveria étaient au 297 (ancien) en l'an VI.

Nᵒ **76**. Maison de forme cintrée, assez curieuse à voir du côté du boulevard Haussmann.

Nᵒ **59**. **Rue Lavoisier**. Percée en 1840 sur les jardins de l'hôtel de Rumford. Le comte de Rumford avait épousé la veuve de Lavoisier, née de Chazelles. Il y eut une rue de Rumford qui allait de la rue Lavoisier à la rue de la Pépinière. Alfred de Musset en 1851, habitait au 11 de cette rue de Rumford qui disparut en 1854. La rue Lavoisier doit son nom au grand chimiste né en 1743 qui périt sur l'échafaud en 1794. Mlle Mars mourut au 3 (ancien) en 1847. Alexandre Lenoir, fondateur du musée des Monuments francais mourut également au 3 en 1839. L'amiral Duperré mourut au 22 (ancien) en 1846.

Nᵒ **51**. Hôtel de M. P. Nadar. L'atelier a été fondé par Félix Nadar qui s'installa d'abord 35, boulevard des Capucines, puis rue St-Lazare.

Nᵒ **52**. Hôtel de Bouville. Destutt de Tracy, l'idéologue, y mourut en 1836. Cet hôtel très remanié est devenu le siège de la Compagnie des Eaux en 1880.

Nᵒ **48**. Emplacement de l'hôtel de La Belinaye (1787), où habita également le député Quinette. Garage d'automobiles aujourd'hui.

Nᵒ **46**. Hôtel Froment-Meurice bâti en 1900 sur une partie de l'hôtel de Boissy

Nᵒ **42**. Avait été construit par le président Talon. Affermé à la princesse de Bauffremont. Famille d'Aligre. Le comte de St-Geniès, auteur dramatique et journaliste sous la Restauration, y naquit. Il avait été question d'édifier ici un Alhambra. Remanié en 1902 de fond en comble par la Compagnie du Creusot.

Le boulevard Malesherbes a détruit en 1861, du côté des chiffres impairs de la rue d'Anjou, l'hôtel de la

marquise de Créqui, et du côté des chiffres pairs la
maison de Chabot, l'hôtel Nicolay qui fut ambassade de
Hollande, puis la résidence du génèràl Moreau, de Bernadotte et du comte Clary. La percée du boulevard a
fait également disparaître de ce côté de la rue d'Anjou,
l'hôtel de La Rivière. En face de cet hôtel de La
Rivière et s'étendant entre les rues de Surène et de la
Ville-l'Évêque, était l'hôtel d'Espagnac formé de deux
hôtels. Le grand hôtel était habité par les d'Esclignac
(1742) et le petit hôtel qui y attenait et donnait rue de
la Ville-l'Évêque, était habité par les d'Espagnac (1812).

N° **29**. L'abbé Morellet, ami d'Holbach, y mourut en
1819. Le général de Bouillé. Le marquis d'Aligre
(1810). Benjamin Constant y mourut en 1830. (Inscription.) Mme Lindsay, l'Éléonore et la veuve du grand
homme politique, mourut également dans la rue d'Anjou
en 1845, au 15 (ancien).

N° **22**. Date de 1763.

N° **12**. Emplacement de l'hôtel du comte de Lassalle,
marquis de Louvois (1856).

* N° **11**. Hôtel dit jadis de Lorraine. L'évêque de ce
nom était évêque de Bayeux (1720). Le maréchal de
Contades, doyen des maréchaux de France (de 1789 à
1793). Il y présida les dernières séances du tribunal de
connétablie. Mairie depuis 1860.

N° **8**. La Fayette y mourut en 1834. (Inscription.) Le
physiologiste Magendie y mourut également en 1855.
(Propriété de M. le comte A. Pastré.)

N° **4**. Emplacement de l'hôtel de Polignac (1780) qui
fut habité par la spirituelle comtesse Diane de Polignac.
En 1830, Mme de Boigne, née d'Osmond, habitait le 4
de la rue d'Anjou, et la maison appartenait au comte de
La Tour du Pin-Chambly.

Rue d'Aguesseau.

Ouverte en 1723 sur des terrains appartenant au chancelier d'Aguesseau. En 1770 C.-F. Christian de Montmorency-Luxembourg, prince de Tingry, lieutenant général et gouverneur de Flandre et du Hainaut, avait son hôtel rue d'Aguesseau.

Nº **1**. Emplacement de l'hôtel de Castries en 1787.

Nº **5**. Emplacement de l'hôtel d'Armaillé. Aujourd'hui chapelle anglaise.

Nº **11**. Elisa Bonaparte, dit-on, y habita quelque temps (?).

Nº **13**. M. de Durfort-Duras (1773). Le maréchal de Castellane y habita.

Nº **13**. **Rue Montalivet**. S'appela rue du Marché-d'Aguesseau de 1723 à 1877. Nom actuel en mémoire du ministre (1766-1823). Au 7 se trouve l'ancien hôtel du duc d'Aumale, qui passa après lui à S. A. R. le duc de Penthièvre. Cet hôtel est loué actuellement.

Nº **18**. Fut quelque temps mairie du Iᵉʳ arrondissement (1803).

Nº **20**. Maison moderne construite sur l'emplacement de celle de M. de Girardin et l'hôtel du marquis de L'Aigle.

Rue de Surène (1672).

Ancien chemin de Suresnes. Commençait jadis à l'hôtel de Chevilly (emplacement de la Madeleine). Le maréchal duc de Raguse, major général de la garde, habitait en 1830 rue de Surène.

Nº **23**. Hôtel de La Marck-Arenberg (1775). (Propriété de M. le comte de Pierre.)

N° **25**. Petit hôtel du marquis de L'Aigle au xviiiᵉ siècle. Hôtel actuel de M. le comte Foy. (Propriété de M. Arnaud de l'Ariège.)

N° **28**. Habité par M. Charles Lecocq, compositeur de musique.

Rue Boissy-d'Anglas.

Ouverte au commencement du xviiiᵉ siècle. La partie située au sud du faubourg St-Honoré s'appela rue de la Bonne-Morue, à cause d'une enseigne de restaurateur; cette partie s'appela ensuite avant 1865 rue des Champs-Élysées. La partie au nord du faubourg St-Honoré s'appelait rue de la Madeleine. Toute la rue doit son nom actuel à Boissy d'Anglas (1756-1826), qui habita la rue et qui, avant d'être pair de France présida avec énergie et sang-froid la Convention, un fameux jour d'émeute. Rappelons qu'il resta ce jour-là impassible sur son siège et salua respectueusement la tête de son collègue Ferraud, qui lui fut présentée au bout d'une pique.

* N° **1**. Hôtel construit par Grimod de La Reynière, fermier général et administrateur des postes (1769). Son fils Alexandre, gourmet célèbre et auteur de l'*Almanach des Gourmands*. (Son portrait par Boilly et un autre par Debucourt, servirent longtemps d'enseignes à la maison Corcellet qui était en 1803 galerie de Valois et qui est actuellement avenue de l'Opéra où elle conserve ces portraits.) Avec Alexandre de La Reynière, l'hôtel devint, d'après Grimm « l'auberge la plus distinguée des gens de qualité ». Les chevaux y avaient des mangeoires d'argent. L'hôtel fut visité en 1783 par Paul Iᵉʳ, alors comte du Nord. Il fut séquestré à la Révolution, mais continua à être habité par le fameux gourmet. M. de la

Bouchère (1819) qui le vend à l'État en 1823. Ambassade de Russie. Ambassade de Turquie. Cercle Impérial (1862). Cercle des Champs-Elysées. Après sa fusion en 1887 avec le cercle des Mirlitons, le cercle est devenu cercle de l'Union artistique, communément appelé : l'Épatant. Le cercle de l'Union artistique avait été fondé en 1860, et s'était installé primitivement rue de Choiseul, puis place Vendôme, où il était connu sous le nom de cercle des Mirlitons. M. le marquis de Massa, l'auteur de nombreuses et spirituelles revues en est le président actuellement.

Nᵒ 3. Emplacement de la maison qui fut habitée par la veuve du général de La Bédoyère.

Nᵒ 10. Emplacement de l'ancien magasin des marbres du roi et de la maison d'éducation de Mlle Lorphelin, la rivale de Mme Campan. Cette pension de jeunes filles très renommée fut transférée rue de Chaillot, et Mlle Lorphelin étant morte en 1848, fut remplacée par Mme Sauvan. Le maréchal Sérurier (1815). Le maréchal Marmont, duc de Raguse (1830). Famille d'Andlau. Le comte Pelet de La Lozère, ancien conventionnel (1841).

Nᵒ 9. Emplacement d'un hôtel de La Trémoïlle (1789). Le peintre de chevaux, Anselme Lagrenée, fils du grand peintre surnommé l'Albane français, et époux de Mlle Bazire de la Comédie-Française, habitait ici ; il mourut victime du choléra de 1832.

Nᵒ 15. Hôtel meublé Vouillemont. Fut habité par S. M. la Reine de Naples. (Propriété de Mme de Chimay.)

* Nᵒ 12. Anne-Joseph de Peilhon, petit-neveu de St François Régis et ancien trésorier général des bâtiments et manufactures de France, en était possesseur sous Louis XV, ainsi que d'une grande partie des terrains en bordure sur la rue de la Bonne-Morue, terrains dont

il s'était rendu adjudicataire le 4 juin 1755. En 1766
M. de Peilhon revendit à la Ville la partie des terrains
qui était située près de la place, et c'est sur ces derniers
terrains que fut élevé l'hôtel de Crillon. Après M. de
Peilhon, l'hôtel passa à son gendre, le marquis de Rochegude, chevalier de St-Louis, qui fut pendu à Avignon
pendant la Révolution en 1790. Le fils de ce dernier, le
marquis de Rochegude, qui fut plus tard député de Vau-
cluse, en hérita, mais l'hôtel fut vendu pendant sa mino-
rité et adjugé 40 565 livres au citoyen Decalogne, alors
que M. de Peilhon avait loué la maison pour trente ans
en 1769 au prix de 11 000 livres par an. Acheté par la
liste civile. Le général Junot, gouverneur de Paris et
duc d'Abrantès : il remania l'hôtel et lui ajouta les deux
colonnes à l'entrée. Sa veuve la duchesse d'Abrantès y
habita et y écrivit ses mémoires. L'hôtel fut habité par le
prince de Beauvau, et abrita les derniers jours du baron
Haussmann. Mme Languillet, décédée en 1906, en fut
usufruitière avant les propriétaires actuels.

N° **24. Cité Berryer**. S'appelait jadis passage du
Marché-d'Aguesseau. Nom actuel depuis 1839. Le
marché qui se trouvait au nord de la rue d'Aguesseau
en 1723, y a été transféré en 1745. La cité Berryer, qui
doit son nom au célèbre orateur (1790-1868), est très
curieuse surtout par le contraste qu'elle présente avec les
rues voisines, la rue Royale par exemple, mais Paris est
fait de contrastes et c'est ce qui en fait un de ses grands
charmes pour ceux qui savent les comprendre. Au 12,
maison à pignon ; au 14, petits vitraux et escalier curieux.

N° **28**. Taverne anglaise. Fut le quartier général de
Brunel le 22 mai 1871.

N° **35. Cité du Retiro**. Le nom vient de *buen retiro*.
C'était jadis la grande Cour des Coches. On peut remar-

quer le 13, le 15, le 19 qui fut manège et loge maçon-
nique.

Nᵒ **28**. Emplacement d'une maison qui appartenait à
Lulli et où il mourut en 1637.

Rue de la Ville-l'Évêque.

Indiquée sur les plans du xviiᵉ siècle. Elle commençait autrefois rue de l'Arcade et finissait rue des Saussaies. La rue atteignit la rue de la Pépinière (actuellement La-Boëtie) en 1807. Cette partie lui fut retirée en
1865 pour devenir rue Cambacérès. Les évêques de
Paris possédaient dans ces parages une ferme ou villa
(*villeta episcopi*), depuis le xiiiᵉ siècle. Il se forma
autour de cette ferme un bourg que l'on appela la Ville-
l'Évêque, qui fut enclavé dans Paris sous Louis XV : la
rue de la Ville-l'Évêque était l'artère principale de ce
bourg. L'ancienne église de la Madeleine, église de la
Ville-l'Évêque était située au coin Nord-Est de la rue
(emplacement du 11 actuel du boulevard Malesherbes).
Cette église qui datait du xiiiᵉ siècle, fut reconstruite
en 1659 et démolie en 1764. A l'extrémité Est de la rue
et s'étendant entre les rues de Surène et de l'Arcade était
le couvent des Bénédictines fondé en 1613 par Catherine
d'Orléans-Longueville, et sa sœur Marguerite d'Estoutc-
ville ; il fut supprimé en 1790 et démoli. Fabre d'Églantine habita la rue à l'hôtel du duc d'Aumont, au coin de
la rue d'Astorg. Le conventionnel Amar logeait au 54
(ancien). Le maréchal marquis de Grouchy était depuis
longtemps au 26 (ancien) en 1840. Lamartine habita
le 31 (ancien) en 1854, puis en 1869 le 9 (ancien) de la
rue Cambacérès. Mme de La Briche, belle-mère du
comte Molé, habitait la rue en 1820, avant d'aller rue

des Saussaies. En 1842, Mme de Souza, mère de
Charles de Flahault, vint habiter, après avoir quitté son
hôtel de la rue Verte, le 22 de la rue de la Ville-l'Évêque.
En 1829 elle quitta cet hôtel qui fut repris par son beau-
fils le comte de Villa Real, fils de M. de Souza, et elle
alla 7, rue St-Florentin. Odilon Barrot mourut au 5
(ancien) en 1873, et Guizot au 8 (ancien) en 1875. La rue
posséda également un hôtel de Boufflers, un hôtel de
Coulanges, et compta parmi ses habitants le sculpteur
Houdon et Mme de Balbi.

Nº 3. Restes de l'hôtel de Rouault (1787).

Nᵒˢ 5 et 7. Emplacement de l'hôtel d'Espagnac qui
fut légation de Bavière en 1855 et hôtel Mercy-Argenteau
en 1860. Cet hôtel, primitivement hôtel de Choiseul-
Meuse, avait été construit sur l'emplacement du marché
d'Aguesseau qui avait été ouvert en 1723 au Nord de la
rue d'Aguesseau et qui resta là jusqu'en 1745, époque
où il fut transféré cité Berryer.

Nº 8. Presbytère de la Madeleine. (Propriété de la
fabrique de la Madeleine.)

Nº 15. Salle Manzi. M. l'abbé Perosi, maître de chapelle de Sa Sainteté le pape Pie X, s'y fit entendre en 1910.

Nº 16. Hôtel du maréchal Suchet. Le banquier
Bartholdi. En 1812 cet hôtel attenait par derrière à
l'hôtel Talleyrand qui s'ouvrait rue d'Anjou et qui a été
détruit par le boulevard Malesherbes. Au fond de la
cour du 16, étaient les Sœurs de la Mère de Dieu.
Depuis 1907, Institut normal libre de la Madeleine. (Propriété des héritiers de Kersaint.)

Nº 18. Gracieux pavillon au fond de la cour. (Propriété
du prince d'Arenberg.)

Nº 20. Hôtel de M. le prince d'Arenberg, membre de
l'Institut.

N° **25**. Ancien hôtel. Hôtel de Mme la marquise de Champagne.

N° **27**. Maison Louis XVI. Fut habitée par le comte Molé en 1827.

Rue d'Astorg.

La partie entre la rue de la Ville-l'Évêque et la rue Roquépine est de 1774 : la partie qui rejoint la rue La-Boëtie date de 1778. Avant le percement du boulevard Malesherbes, la rue allait jusqu'à la rue de la Bienfaisance. Nom en mémoire de Louis d'Astorg, marquis de Roquépine, lieutenant général des armées du roi et propriétaire du terrain sur lequel la rue fut percée : son hôtel qui a disparu était occupé par le général de Goyon en 1856. Giulia Grisi, la célèbre cantatrice du Théâtre Italien, habitait la rue en 1848.

N° **8**. Hôtel de M. le comte Greffulhe.

N° **10**. Hôtel de Mme la comtesse Greffulhe, née de La Rochefoucauld.

N° **12**. Hôtel de M. le marquis de L'Aigle.

N° **19**. Grille de style Empire.

N° **26**. Enseigne moderne assez baroque, représentant une mouette.

Rue Roquépine.

Formée en 1774 et prolongée jusqu'au boulevard Malesherbes en 1862. Doit son nom à Louis d'Astorg, marquis de Roquépine, lieutenant général en 1762 et propriétaire des terrains.

N° **4**. Église anglaise Wesleyan (méthodiste) (1862).

N° **5**. Temple protestant du St-Esprit.

Rue Cambacérès.

Faisait partie de la rue de la Ville-l'Evêque avant 1865. S'appela rue Berthollet. Nom en souvenir du deuxième Consul (1752-1834). Lamartine habita le 9 (ancien) en 1867.

N° 14. Ancien hôtel ainsi qu'au 8. (Propriété de M. le comte E. J. de Bammeville.)

N° 7. Ministère de l'Intérieur.

N° 3. Maison de style Renaissance.

Rue des Saussaies.

S'appela rue des Carrières au xviie siècle. Elle était bordée de saules, et on lui donna sous Louis XV, le nom de chemin des Saussayes, puis de chemin de la Couldraye. Elle s'appela également ruelle Baudet et en 1837 elle prit le nom de rue des Saussaies.

La place des Saussaies a été formée en 1902. On a construit au 1 de cette place, en 1905, l'hôtel de la compagnie de St-Gobain. Sur cet emplacement se trouvait en 1775 l'hôtel de Paroy, qui devint hôtel de Mme de La Briche, mère de Mme Molé. Le comte Molé, qui habitait avec sa belle-mère l'hôtel de La Briche, fit construire à côté un hôtel pour ses deux gendres, le marquis de la Ferté et le comte de la Ferté-Champlatreux. Cette maison fut vendue en 1848 au comte de Béhague et l'hôtel de La Briche fut vendu également en 1848, au comte d'Albon, puis passa au comte de Grancey. La famille d'Albon aliéna une partie des jardins pour complaire à Mme de Persigny qui habitait alors l'hôtel actuel du ministre de l'Intérieur. Après la guerre, on a

construit les locaux du ministère sur l'emplacement de
ce parc, et l'ancien hôtel de La Briche et ses dépen-
dances ont disparu, pour faire place à l'hôtel de la
compagnie de St-Gobain. Au 2 de la place habite
M. E. Risler, l'éminent pianiste, professeur au Conservatoire.

N^{os} **13-11-9**. Emplacement de l'hôtel du Tillet (1775).
Le comte de Ségur, pair de France, habita en 1812 le
11 qui fut acquis en 1848 par le comte de Grancey. Au
11 actuel est une des portes de l'hôtel du ministère de
l'Intérieur (ancien hôtel de Beauvau).

N^{os} **10** et **8**. Fut hôtel Chevenc de La Chapelle (1768).
Le marquis de Faudoas d'Esparbès (1787). Là naquit
Mlle d'Esparbès qui devint Mme Savary, duchesse de
Rovigo. Sous la Restauration le 10 fut habité par
M. de Gourgues, pair de France. Le colonel vicomte de
Grancey, tué à Champigny en 1870, y naquit en 1831. Au
8, bandeaux sculptés et au centre médaillon avec soleil
entouré de couleuvres. (Le 8 appartient à M. Chatellier
et le 10 à Mme veuve Hardy.)

Rue de Miromesnil.

Formée en 1776, entre le faubourg St-Honoré et la
rue de Penthièvre, sous le nom de rue Guyot ; terminée
en 1862. La rue doit son nom actuel à Hue de Miromesnil, garde des sceaux (1723-1796).

N° **4** et **6**. Anciennes maisons décorées. Au 6, habite
M. Gerbault, dessinateur.

N° **11**. Décoré de mascarons.

N° **14**. Vieille maison.

N° **16**. Consulat d'Espagne.

N° **18**. Habité par M. C. Levadé, compositeur de

musique, chef de chœurs à l'Opéra. Au 29 habite Mlle Louise Mante, de l'Opéra.

N° **31**. Fut possédé et habité par Miss Grâce Elliott, maîtresse de Philippe-Égalité. Chateaubriand y habita en 1804 (dans la partie voisine du 33). Hôtel de Mme E. Trubert.

N° **98**. Là se trouvait avant 1910 le siège de la Société des Amis des Monuments parisiens.

L'abattoir du Roule (1810) s'étendait du côté des chiffres impairs, entre la rue de la Bienfaisance et la rue de Téhéran. L'avenue de Munich (1844 à 1857) était au Sud de l'abattoir (sol du boulevard Haussmann entre la rue de Miromesnil et la rue de Téhéran qui s'appelait avenue de Plaisance). Cet abattoir avait son entrée précédée d'une avenue, dite de l'Abattoir à l'origine, et appelée avenue Percier à partir de 1844. L'architecte de l'abattoir fut Petit-Radel, et les bâtiments furent livrés aux bouchers en 1818. L'endroit était mal choisi, et l'abattoir fut supprimé sous Napoléon III.

Rue de Penthièvre.

S'est appelée rue des Marais au xviie siècle, puis rue du Chemin-Vert, puis rue Verte, puis Grande-Rue-Verte au xviiie siècle. En 1846, elle prit le nom de rue de Penthièvre, en l'honneur du duc de Penthièvre, fils du comte de Toulouse (1725-1793). Élisa Bonaparte, épouse du général Bacciochi, demeurait rue Verte n° 1125 en 1802. Le maréchal de Boufflers habitait le 30 (ancien) en 1807. La veuve de Condorcet, habitait la rue en 1812. Du côté des chiffres pairs se trouvait l'hôtel du général de Bachmann-Anderletz, Suisse au service de la France, qui émigra après le 10 août. Du

côté des chiffres impairs et s'ouvrant rue du Faubourg-
St-Honoré se trouvait l'hôtel de Ray (1780). Mme de
Flahault, amie de Talleyrand, après son remariage avec
M. de Souza, ministre portugais, et après avoir été
12, rue d'Anjou, vint s'installer dans son hôtel, 6, Grande-
Rue-Verte. C'est là que fut élevé le jeune duc de Morny,
qui était le fils de Charles de Flahault, fils lui-même de
Mme de Souza.

Nº 5. Hôtel moderne ainsi qu'au 8. (Propriété de
M. Seguin.)

Nº 11. Maison du commencement du xixᵉ siècle, avec
sculptures.

Nº 14. Enseigne du Bon Coing.

* Nº 26. Maison dite de Franklin (1775). Dut être
construite en l'honneur du célèbre homme d'État améri-
cain. Avant l'Empire, Lucien Bonaparte y habita, au fond
du jardin, un petit hôtel qui a conservé un curieux
cabinet de toilette, décoré d'un plafond à coupole.

Nº 28. Caserne construite en 1780, grâce à l'influence
du maréchal de Biron. C'est une des survivantes des
dix casernes des gardes françaises qui étaient antérieurement logés chez l'habitant. La caserne de la rue de
Penthièvre fut affectée au logement de trois compagnies
de gardes françaises. Aujourd'hui caserne d'infanterie.

Nº 33. Vieille maison ainsi qu'au 35.

Rue Matignon.

La partie entre l'avenue Matignon et le faubourg St-
Honoré fut créée de 1774 à 1780 sous le nom de rue
Millet, qui était le nom du propriétaire des terrains,
nom qu'elle porta jusqu'en 1787. La partie au Nord du

faubourg s'appelait la Petite-Rue-Verte. Nom actuel en mémoire du maréchal (1646-1729).

N° **23**. Savorgnan de Brazza, le grand explorateur mort en 1905, y habita.

A l'angle du faubourg était jadis la porte d'Argencourt ou porte du Roule.

N° **19**. La Croix-Rouge, Société française de secours aux blessés militaires. On connaît le beau rôle de cette société, lors de la terrible inondation de janvier 1910.

N° **17**. Hôtel habité au moment de la Révolution par le comte Jean-Axel de Fersen, fils du maréchal suédois et célèbre par son dévouement pour la reine Marie-Antoinette qu'il tenta en vain de sauver. Les écuries de Fersen s'ouvraient faubourg St-Honoré (la troisième porte cochère). (Propriété de Mme la marquise de Laguiche et de Mme la comtesse de Mérode.)

N° **16**. Fut hôtel de Mortemart. Hôtel de Mme la marquise de Laguiche. (Numérotage sur fond vert, datant de la Restauration, recouvert par le numérotage moderne.)

N° **8**. Le comte de Bari, dernier fils de Ferdinand II, roi des Deux-Siciles, y habitait au moment de sa mort survenue à la Petite-Malmaison en 1904.

Rue Rabelais.

Ruelle Rousselet en 1769. Elle se prolongeait jadis jusqu'à la rue du Colisée et resta fermée pendant vingt ans. Ouverte en 1846. Nom en 1850 en l'honneur du grand écrivain (1495-1553).

N° **2**. Hôtel de M. le baron Gérard.

N° **1**. Hôtel de M. Eiffel.

Rue Montaigne.

Ouverte en 1795 sur une partie des terrains du Colisée. Nom en l'honneur du grand moraliste (1533-1592). En face du débouché de la rue Rousselet (Rabelais), du côté impair de la rue Montaigne, se trouvaient en 1830 les écuries du duc d'Orléans.

Nᵒ **1**. Enseigne moderne (mail coach).

Nᵒ **2**. Hôtel meublé Meyerbeer. Meyerbeer y mourut en 1864.

Nᵒ **12**. Gambetta y habita de 1871 à 1878.

Nᵒ **17**. Pranzini y assassina Marie Regnault et sa femme de chambre.

Nᵒ **25**. Habité par M. de Marcère, ancien ministre et historien.

Rue du Colisée.

C'était jadis la Chaussée des Gourdes. La rue, indiquée en 1672, a pris son nom actuel en 1769. Le Colisée, qui était un vaste établissement pour des fêtes et des spectacles pouvant contenir 40 000 personnes, avait été construit en 1770 par Le Camus. Il se trouvait dans l'espace compris entre les rues du Colisée, du Faubourg-St-Honoré, les avenues Matignon et des Champs-Élysées. Mal construit, il fut démoli en 1780. Une des entrées était au 44 de la rue du Colisée, où se trouvèrent plus tard les écuries de la duchesse de Berry, qui furent incorporées aux écuries impériales sous le second Empire. Le comte d'Artois acheta les terrains du Colisée en 1784 et sur son emplacement on ouvrit les rues de Ponthieu et d'Angoulême (rue La-Boëtie aujourd'hui).

N° 38. La légation de Belgique s'y trouvait avant 1905. Au 36 est le consulat de Colombie.

N° 39. Hôtel de M. le comte Subervielle.

N° 18. A la Bonne Étoile.

Rue de Ponthieu.

Ouverte en 1784 sur une partie du Colisée et sur les terrains de l'ancienne pépinière qui fut donnée au comte d'Artois. Le pays de Ponthieu de la Basse Picardie dépendait de l'apanage du comte d'Artois.

N° 29. Au Louis d'Or.

N° 37. Habité par M. le vicomte de St-Geniès, bien connu en littérature sous le pseudonyme de Richard O' Monroy.

N° 46. Maison de construction originale.

N° 54. **Rue Paul-Baudry**. Ouverte en 1829 sous le nom de rue Fortin. Nom actuel en mémoire du peintre (1828-1886). Au 3 est l'hôtel de Mme de Wendel. Au 6 est l'hôtel de Mme la princesse de Poix. Au 5 s'ouvre la **rue Frédéric-Bastiat** (1884) qui s'appela provisoirement rue Neuve-Fortin. Nom en 1889 en l'honneur de l'auteur des *Harmonies économiques* (1801-1830).

N° 55. Galeries dites des Champs-Élysées (Salle de bals et de conférences).

N° 57. Hôtel de Mme Sommier.

N° 62. Hôtel de M. le duc de Lesparre.

N° 66. La célèbre cantatrice, Mme Rosine Laborde, y mourut en 1907 à l'âge de quatre-vingts ans. La maison lui appartenait.

Rue de Berri.

Ouverte en 1778 à travers les jardins de l'ancienne pépinière du Roi. Ce n'est que sous le second Empire qu'elle fut prolongée depuis le faubourg St-Honoré jusqu'au nouveau boulevard Haussmann. Elle s'appelait jadis ruelle de Chaillot, ou de l'Oratoire, rue de la Fraternité en 1848, puis rue Duquesne. Nom actuel en l'honneur du duc de Berry, second fils de Charles X, né en 1778 et assassiné par Louvel en 1820.

N° **29**. Hôtel de M. le marquis de Casa-Riera.

N° **22**. Hôtel de Mme la baronne de Berckheim.

N° **20**. Fut construit par Mme de Montesson, tante de Mme de Genlis. Mme de Montesson donna l'hôtel à sa nièce lorsque celle-ci fut chargée de l'éducation des enfants du duc d'Orléans. La maréchale Gérard. Le marquis de L'Aigle. La duchesse de Lesparre. La princesse Mathilde y habita depuis la guerre et y mourut en 1904, entourée de l'estime universelle. Son salon fut célèbre. Légation de Belgique depuis 1905.

N° **12**. Habité par Mme Réjane, artiste dramatique.

N° **21**. Chapelle américaine.

N° **5**. Actuellement Académie Julian et garage d'automobiles. Fut, il y a quelques années, Bazar de la Charité et Palais du Cycle.

Au coin de l'avenue des Champs-Élysées, dont il était séparé par un fossé de 19 toises (38 mètres environ) se trouvait le pavillon Langeac qui avait été construit par Chalgrin. Mme de Langeac s'appelait primitivement Mme Sabatin et était la maîtresse de M. de St-Florentin, ministre de Louis XV. On dit que le comte d'Artois prit possession de ce pavillon après Mme de

Langeac. Le pavillon fut remplacé sous Napoléon III par l'hôtel Debelleyme-Trévise, qui fut habité par le prince Jérôme. Démoli vers 1898.

Santerre de La Fontenelle, frère du fameux brasseur, avait une brasserie rue Neuve-de-Berri, n° 1. Le prince de la Paix habita la rue.

Rue d'Artois.

Décidée en 1778 et ouverte en 1822 sur les terrains de l'ancienne pépinière royale appartenant au comte d'Artois. Elle s'appela rue d'Estaing et rue des Écuries-d'Artois à cause du voisinage des écuries du prince. Depuis 1897, la rue s'appelle simplement rue d'Artois. Les grands jardins qui s'étendent entre le 22 et le 20 sont ceux de l'hôtel de Mme Schneider (137, rue du Faubourg-St-Honoré).

N° **39**. Habité par M. Jules Lemaître, membre de l'Académie française.

N° **21. Impasse Fortin**. Nom de propriétaire (1829).

N° **14. Rue St-Philippe-du-Roule** (1882). Au 6 habite M. R. Bazin, membre de l'Académie française.

N° **10. Rue du Commandant-Rivière** (1883). Ouverte sur l'ancienne cour du Commerce qui datait de 1840 et qui était devenue cour St-Philippe-du-Roule en 1877. Nom actuel en mémoire du capitaine de vaisseau massacré en 1883 au Tonkin par les Pavillons Noirs.

N° **6**. Alfred de Vigny y mourut en 1863. (Inscription.)

Rue La-Boëtie.

Indiquée à la fin du xviie siècle. La partie entre le faubourg St-Honoré et la place St-Augustin s'appela

jusqu'en 1868 rue de la Pépinière, puis rue Abbatucci.
La partie entre le faubourg St-Honoré et l'avenue des
Champs-Élysées porta différents noms : Rue d'Angou-
lême-St-Honoré (1777), rue de l'Union de 1792 à 1815,
rue de la Charte en 1830, rue de l'Union de nouveau en
1848, rue Lapeyrouse, rue d'Angoulême en 1852, rue de
Morny en 1865, rue de la Commune pendant la Commune, rue Mac-Mahon et rue Pierre-Charron après
1871, et rue La-Boëtie en 1879 dans toute son étendue.
Nom en l'honneur du philosophe et écrivain (1530-1563).

  * N° **111.** Très bel hôtel construit en 1784 par l'architecte Le Boursier pour Thiroux de Montsauge, administrateur général des Postes. Le duc de Richelieu, pair
de France et fils du maréchal, s'en rendit acquéreur en
1788, mais il l'habita peu, ayant émigré en 1790. Le
comte de Marescalchi, ministre du royaume d'Italie à
Paris, en devint locataire en 1804 et y donna des fêtes
splendides qui furent le rendez-vous de la noblesse de
l'Empire. L'Empereur y vint souvent. Marescalchi quitta
l'hôtel après l'abdication, et l'hôtel fit retour à la comtesse de Durfort, fille de Thiroux de Montsauge. Après
avoir été vendu en 1825 à Bellel, entrepreneur de bâtiments, l'hôtel fut racheté en 1827 par la fille unique de
la comtesse de Durfort, la comtesse de Juigné, épouse
du maréchal de camp. Acheté en 1830 pour la somme de
250 000 francs par le comte de Flahault qui le revendit
pour 780 000 francs au baron Roger. Hôtel actuel de
M. le duc de Massa, petit-fils du grand juge, ministre
de la Justice sous Napoléon Ier. Plusieurs historiens
prétendent à tort que cet hôtel fut construit par le comte
d'Artois pour Mlle Contat, de la Comédie-Française. Il
ne faut pas non plus y voir le lieu de naissance du duc
de Morny. Le comte de Flahault n'acheta l'hôtel qu'en

1830, et l'acte officiel de la naissance du futur duc, déclare qu'Auguste Demorny est né chez Gardien, accoucheur, 137, rue de Montmartre en 1811.

N° 122. Carnot, qui fut président de la République, y habitait en 1882. Habité par M. A. Bruneau, compositeur de musique.

N° 94. Enseignes modernes.

N° 88. Cour St-Philippe-du-Roule.

N° 66. Jolie enseigne. (Panier de fleurs.) Habité par M. Émile Fabre, auteur dramatique.

N° 57. Hôtel reconstruit par M. Wildenstein.

N° 55. Eugène Sue y habita en 1840. Hôtel de Mme A. Baroche.

N° 49. Hôtel de Mme A. André.

N° 45. Salle Gaveau (1907), où ont lieu maintenant les concerts Lamoureux.

N° 44. La comtesse de La Valette y logea en 1815 et c'est de là qu'elle partit pour se rendre à la Conciergerie et sauver son mari. Hôtel de M. le comte L. de Ségur. Les jardins de ce bel hôtel s'étendent jusqu'à la rue de La Baume, et à l'Est jusqu'à l'avenue Percier.

N° 39. Université des Arts fondée en 1908 par Mme Madeleine Lemaire.

N° 37. M. Rouher y mourut le 3 février 1884. Fut hôtel de Monbel. Hôtel actuel de M. le marquis de Tracy. (Style romantique.)

N° 34. Impasse privée, garnie de bornes.

N° 27. Habité par MM. E. et V. Isola, directeurs du théâtre lyrique de la Gaîté.

N° 4. Rue Roy (1788). S'appela rue St-Jean-Baptiste. Ce n'est qu'en 1862 qu'elle a été prolongée de la rue de Rigny à la rue de Laborde. Doit son nom au comte Roy, homme d'État (1764-1847).

Du côté des chiffres impairs, l'élargissement de la rue a détruit dans la rue La-Boëtie deux hôtels qui avaient été construits par M. de Wailly, architecte du roi. L'un fut l'hôtel d'Aligre, de Saulty, et Alfonso, et l'autre qui avait été construit pour le sculpteur Pajou eut comme habitants le prince Demidoff, M. Hainguerlot et le comte Branicki.

Rue de la Pépinière.

Cette rue, indiquée en 1555 et ouverte en 1782, allait jadis jusqu'à St-Philippe-du-Roule. Elle n'a conservé son nom que dans une petite partie éloignée d'ailleurs des terrains de l'ancienne pépinière à laquelle elle devait son nom. La pépinière du roi était primitivement située entre les Champs-Élysées et le faubourg du Roule et entre les rues de Berri et La-Boëtie. Cette pépinière fut désaffectée en 1720, dans la prévision de l'établissement d'un hôtel des Monnaies et le terrain fut concédé à Regnard, directeur de la Monnaie. Le comte de St-Florentin, ministre de la Marine du roi, se le fit attribuer à bail en 1755 pour le céder en 1764 à Mme de Langeac qui le vendit en 1772 au comte d'Artois. (Nous avons vu que l'hôtel de Mme de Langeac était au coin de l'avenue des Champs-Élysées et de la rue de Berri.) La nouvelle pépinière fut établie en 1720 de l'autre côté du faubourg du Roule, à l'emplacement de l'intersection du boulevard Haussmann avec le boulevard Malesherbes, la rue de Courcelles et l'avenue Percier. Cette nouvelle pépinière était séparée de la maison du contrôleur par la rue de Courcelles : cette maison, qui fut reconstruite en 1765, était habitée en 1807 par Aubert Dupetit-Thouars, frère de l'amiral. La pépinière du

Roule fut supprimée à la Révolution et disparut définitivement en 1826. L'abbé Nolin, chanoine de St-Marcel,
avait été le premier directeur de cette pépinière du
Roule et y avait acclimaté de nombreux arbustes étrangers.

N° **24**. Caserne de la Pépinière, dite jadis caserne de
la Pologne. Construite en 1763 par Goupil pour servir
de quartier aux gardes françaises. Reconstruite en partie
sous Napoléon III.

N° **25**. M. Remy y fut assassiné par ses domestiques
en 1908. Hôtel du journal *le Nouveau Siècle* (1910).

N° **8. Galerie de Cherbourg.** S'appela galerie du
Soleil d'Or, à cause de l'enseigne. Cette galerie qui doit
son nom actuel au voisinage de la gare de l'Ouest a été
ouverte en 1832.

N° **9**. Concert de la Pépinière.

N° **6**. Habité par M. G. Grand, sociétaire de la Comédie-
Française. Au 1 habite Mlle Blanche Toutain, artiste
dramatique.

L'emplacement du lieu dit jadis la Pologne corres-
pond au carrefour formé par les rues du Rocher, de
l'Arcade, de la Pépinière, et St-Lazare.

Rue St-Lazare.

(Partie comprise entre les rues de Rome et du Havre.)

Sur l'emplacement de l'hôtel Terminus, avant la
transformation de la gare St-Lazare, se trouvait une
ruelle dite impasse Bony, formée en 1826, qui servait
de dégagement pour le service des bagages. La gare
St-Lazare primitive datait de 1836 : elle a été reconstruite
en 1889. Devant la gare se trouvent les cours dites de
Rome et du Havre. La cour de Rome est sur l'emplace-

ment de l'ancienne impasse d'Argenteuil qui s'ouvrait
rue du Rocher. C'est au café de l'hôtel Terminus
qu'Henry commit son attentat anarchiste en 1894.

N° **119**. Maison originale : Au Roi de la Bière.

N° **109**. **Place du Havre**, dénommée en 1907. Cette
place, qui compte également dans le IXe arrondissement,
doit son nom au voisinage de la gare de l'Ouest.

N° **109**. **Rue du Havre** (côté impair). La partie
entre le boulevard Haussmann et la rue de Provence
faisait partie de la rue de la Ferme-des-Mathurins. Cette
partie a été alignée en 1839 et la partie entre la rue de
Provence et la rue St-Lazare a été ouverte en 1843.
Au 9 de la rue du Havre s'ouvre la **rue de l'Isly** (1846)
qui doit son nom à la victoire de 1841 remportée par le
maréchal Bugeaud. Victor Hugo, alors membre de
l'Assemblée nationale, habita le 5 de la rue de l'Isly
en 1848.

Rue de Rome.

(Partie comprise depuis son origine jusqu'au boulevard
des Batignolles.)

La partie située entre la rue St-Lazare et le boulevard
des Batignolles date de 1850 ; la partie qui s'étend entre
la rue St-Lazare et le boulevard Haussmann date de 1868.

N° **4**. **Rue de Provence**, qui n'a qu'un petit parcours
dans le VIIIe arrondissement, entre les rues de Rome et
du Havre. Ce tronçon a été exécuté en 1884 sur une
partie de l'ancienne rue St-Nicolas-d'Antin.

N° **23**. Lycée Racine.

N° **35**. **Rue de Stockholm** (1831). Cette rue s'étendait primitivement jusqu'à la rue d'Amsterdam. Les
travaux de la gare de l'Ouest en 1859 et la construction

de la rue de Rome en ont absorbé une grande partie. Ce qui en reste du côté de la rue d'Amsterdam s'appelle impasse d'Amsterdam.

N° **48**. Habité par M. J. Grand-Carteret, homme de lettres.

N° **54**. Habité par M. Léon Gandillot, auteur dramatique.

N° **59. Rue d'Édimbourg** (1870). Dénommée en 1877. Au 11, Skating-Palace (1910).

N° **62**. Habité par M. G. Clairin, artiste peintre.

N° **63. Rue de Naples** (1826). Faisait primitivement partie de la rue de Hambourg qui allait alors de la rue de Clichy à la rue de Monceau. Elle a été fortement diminuée et a reçu son nom actuel en 1864. Au 22, ancienne maison des religieuses du Saint-Sacrement, aujourd'hui pensionnat de jeunes filles (ancien numérotage, 48). Au 28, hôtel de Mme Privey (1878).

N° **69. Rue de Copenhague** (1868).

N° **73. Rue Bernouilli** (1867). Nom en mémoire du mathématicien Jean Bernouilli (1667-1748) qui découvrit le calcul expérimental. Cette rue longe le collège Chaptal.

Boulevard des Batignolles (1789). (Côté impair).

Sur ce boulevard se trouvaient les barrières de Monceau, de la Réforme et de Clichy.

N° **63. Place Prosper-Goubaux**. Nom donné en 1907 au carrefour formé par la rue du Rocher, la rue de Constantinople, le boulevard des Batignolles, et le boulevard de Courcelles. Cette place, qui est commune aux VIIIe et XVIIe arrondissements, doit son nom au fondateur du collège Chaptal.

N° **51. Rue Andrieux** (1883). Nom en mémoire de

l'auteur dramatique (1759-1833). Au **11**, s'ouvre la **rue Pelouze**, classée en 1873 et dénommée en 1875 en mémoire du chimiste T.-J. Pelouze (1807-1867). Au 5 de la rue Pelouze habite M. P. Lagarde, artiste peintre, et l'un des directeurs de l'Opéra.

N° **45**. Collège Chaptal. Ce collège, fondé en 1844 par P. Goubaux rue Blanche, sur l'emplacement du Casino de Paris, s'installa ici en 1874. Il s'appela d'abord Lycée Municipal, collège François Ier, et Institution St-Victor.

N° **41. Rue de Moscou** (1847). La rue fut achevée en 1867. Au 12 habite M. Albin Valabrègue, auteur dramatique, et au 52 M. Lévesque, artiste dramatique. Au 33 s'ouvre la **rue de Berne** qui s'appelait rue Mosnier avant 1884.

N° **29. Rue Clapeyron**. Classée en 1867. Nom en mémoire de l'ingénieur (1797-1864).

N° **25. Rue de Turin** (1847). La rue fut achevée en 1857. Au 32 s'ouvre la **rue de Florence** (1826) qui faisait jadis partie de la longue rue de Bruxelles, qui allait de la place Blanche à la rue du Général-Foy. Au 3 de cette rue de Florence habite Mlle A. Dorgère, artiste dramatique. Le 7 est habité par M. Maurice Donnay, de l'Académie française, et le 8 par M. Paul Gavault, auteur dramatique.

Le boulevard des Batignolles commence à la **place de Clichy**. (Voir le XVIIe arrondissement.)

Rue d'Amsterdam (1826). (Côté impair.)

N° **87**. Fut habité par Jules Favre (1869).

N° **77**. Alexandre Dumas père en 1843. Habité aujourd'hui par M. A. Allar, sculpteur, membre de l'Institut, et M. Weerts, artiste peintre.

No **61**. Petit Lycée Condorcet.

No **61**. **Rue de Hambourg.** Commencée en 1826 et achevée en 1835. Cette rue, qui allait primitivement de la rue de Clichy à la rue de Monceau, a été fortement diminuée.

No **55**. Hôtel avec jardin. Hôtel de Mme la générale Clinchant.

No **37**. Habité par M. Maurice Ordonneau, auteur dramatique.

No **21**. **Impasse d'Amsterdam.** Faisait partie autrefois de la rue de Stockholm.

A l'endroit où le passage Tivoli se confond avec la rue d'Amsterdam se trouve la **place de Budapest**, qui compte également dans le IXe arrondissement.

No **23**. **Rue de Londres** (1826). La partie comprise entre la rue d'Amsterdam et la place de l'Europe fait seule partie de notre arrondissement. (Voir le IXe arrondissement.)

Place de l'Europe.

Tout le quartier, dit de l'Europe, dépendait autrefois des jardins Tivoli. Il fut transformé en 1856 par la Compagnie Hagermann-Riant-Mignon. En 1826 il y avait un jardin au centre de la place. En 1832 la compagnie du chemin de fer de Paris à St-Germain fit établir un tunnel sous cette place. La première gare de l'Ouest y fut établie en 1837 en bordure de la rue de Londres, et ce n'est qu'en 1842 que cette gare a été transportée rue St-Lazare. Depuis 1895 tout a été modifié par l'agrandissement des lignes. Le pont gigantesque qui occupe la plus grande partie de la place a été exécuté par l'ingénieur Jullien.

De la place de l'Europe se détachent les rues de
Berlin, de St-Pétersbourg, de Vienne, de Madrid, de
Constantinople que nous visiterons dans cet ordre.

Rue de Berlin (1826).

La partie comprise entre la place de l'Europe et la
rue d'Amsterdam fait seule partie de notre arrondissement et est peu intéressante. Le 28 a été construit par
Viollet-Le-Duc.

Rue de St-Pétersbourg (1826).

N° **1**. Les messageries occupent une partie de
l'emplacement de la première gare de l'Ouest de 1837.

N° **26**. Ancien couvent des Oblates de Marie-Imma-
culée. Les Oblates étaient arrivées à Paris en 1859 et
s'étaient établies primitivement dans une maison de la
rue Darcet, qui s'appelait alors rue du Boulevard, puis
elles vinrent s'installer ici. Depuis le départ des religieuses en 1906, le couvent est devenu Hôtel Canadien
et Colonial. La chapelle qui avait été construite de 1876
à 1900 est devenue une annexe de St-Louis-d'Antin, sous
le vocable de St-André-d'Antin (1907), et la petite chapelle qui est au 26 *bis* est devenu salle Canadienne.

N° **28**. Habité par Mlle L. Pacary, artiste lyrique.

Rue de Vienne (1826).

Au début la rue allait seulement jusqu'à la rue du
Rocher. En 1862, elle atteignit la place de Laborde. Au
21 habite M. le comte Léon de Tinseau, homme de
lettres.

Rue de Madrid (1826).

La rue a été terminée en 1867. Aux 16, 7 et 5 se trouvait l'externat dit de la rue de Madrid. Cette école avait été fondée par les Jésuites sous le nom d'école St-Ignace. L'ancien petit collège situé au 16 a été acheté en 1905 pour le compte de l'État, et en 1909 on y a commencé des travaux pour y installer le Conservatoire. Dans le grand collège situé au 5 se trouve actuellement l'école Notre-Dame (1909). Au 27 habite Mme Raphaële Sisos, de la Comédie-Française.

Rue de Constantinople (1826).

Cette rue n'offre rien de particulièrement intéressant. A titre de curiosité nous indiquons au 35 l' « Institut clinique des chiens ». Les réservoirs qui se trouvent au coin du boulevard des Batignolles datent du premier Empire.

Rue du Rocher.

Doit son nom à une enseigne. La rue suit le tracé d'une ancienne voie romaine. Tout ce quartier possédait jadis des moulins. Le moulin de la Marmite était sur l'emplacement de l'angle des rues du Rocher et de Madrid; le moulin des Prunes était en face sur la rue du Rocher; le moulin Boute-à-Feu, un peu plus bas à gauche, et le moulin des Prés était sur l'emplacement du chevet de St-Augustin, etc.

La partie de la rue comprise entre la rue de la Bienfaisance et le boulevard de Courcelles s'appelait le

chemin des Erancis (estropiés); la partie sud était au
XVIIIe siècle le faubourg de la Petite-Pologne. En 1815
la rue a été ouverte sur ce quartier dit de la Petite-
Pologne et la rue a été prolongée en 1826 jusqu'au boulevard de Courcelles.

Au haut de la rue et jusqu'aux Folies de Chartres,
entre le mur d'enceinte et la rue de Valois, s'étendait
un terrain vague qui en 1794 fut une voirie révolutionnaire. Les inhumations ordinaires y furent faites du 5 au
25 mars 1794, puis les guillotinés y furent ensevelis du
25 mars au 10 juin. Madame Élisabeth, qui fut la dernière
des vingt-quatre victimes qui périrent sur l'échafaud le
10 mai 1794, fut inhumée là. Le fossoyeur Joly reconnut
le corps de la princesse à ses vêtements, mais en 1817
les investigations pour retrouver les restes furent
vaines. Là aussi furent inhumés les deux Robespierre,
Couthon, St-Just, Lebas, Bourbotte, Romme, Goujon,
Henriot, les membres de la Commune mis hors la loi par
le 9 Thermidor, Simon, le geôlier de Louis XVII, etc.
Sur cet emplacement dit la Fosse aux Erancis, un bal
s'installa plus tard, puis le percement du boulevard
Malesherbes et le prolongement de la rue de Miromesnil
morcelèrent le terrain.

N° **84**. Habité par M. Alexandre Georges, compositeur de musique.

N° **88**. **Rue Larribe**. De 1826 à 1867, la rue faisait
partie de la rue de Bruxelles. Le nom actuel vient du
propriétaire. Au 2 habite Mlle Lynnès, de la Comédie-
Française.

N° **66**. École Corneille, installée là depuis 1904.

N° **64**. Patronage St-Joseph.

N° **61**. Emplacement d'une ancienne petite maison
construite au XVIIIe siècle pour les deux sœurs Grandis,

de l'Opéra, qui vivaient avec Bandieri de Laval, maître
des ballets du roi, et maître à danser des enfants de
France. (Ce Bandieri mourut en 1867 rue Basse, à la
porte St-Denis.) Joseph Bonaparte acquit cette propriété
quelque temps avant le Consulat. Mme Lœtitia l'habita
ainsi que le maréchal Gouvion St-Cyr en 1815. Les
jardins s'étendaient sur l'emplacement des rues de
Madrid et Portalis. Sous le second Empire, la propriété
devint Institution Cousin qui était très en vogue à cette
époque. L'hôtel actuel de M. Hochon a été construit par
Lefuel en 1877.

Nº 57. A hauteur de cette maison, la rue du Rocher
traverse la rue de Madrid, sur un pont, de sorte que le
rez-de-chaussée de cette maison se trouve en même
temps le second étage sur la rue de Madrid.

Nº 48. Les Sœurs garde-malades.

Nº 44. Habité par M. Jules Renard, homme de lettres.

Nº 43. Habité par Mlle J. Thomassin, artiste dramatique.

Nº 42. **Impasse Dany** (1821). (Nom de propriétaire).

Nº 40. **Cour de l'Horloge** construite en 1825.

Nº 30. Emplacement de l'hôtel de Lucien Bonaparte.
Propriété Riant. Habité par Mlle J. Marié de L'Isle, de
l'Opéra-Comique.

Nº 28. Au fond de la cour, hôtel construit par le
docteur Fauvel. (Armoiries sur la façade.)

Nº 26. Emplacement d'une petite maison de Philippe-
Égalité. Aujourd'hui lycée Racine. On a démoli en 1909
les vieilles maisons qui s'étendaient du 26 au 16.

Nº 21. Habité par Mlle Ellen Andrée, artiste dramatique.

Nº 19. Vieille maison au fond de la cour.

Rue de Laborde (1788).

S'appela rue des Grésillons. Nom actuel en 1837 en mémoire de l'archéologue A. de La Borde qui fut préfet de la Seine (1774-1842). Le nom de grésillon, qui signifie troisième farine, venait sans doute du voisinage des moulins à vent. Ce fut jadis le chemin des Porcherons, et le centre du quartier dit de la Petite-Pologne. Le nom de Petite-Pologne avait été donné en souvenir du duc d'Anjou, roi de Pologne (Henri III), qui y possédait une villa.

N° 4. On a réédifié dans la cour de cette maison une borne-limite fleurdelisée de 1726. Ce n'est pas son emplacement primitif. Cette inscription avait été posée dans la maison du sieur Vincent à 10 toises de la rue de l'Arcade, et marquait l'extrême frontière de la ville sous Louis XV.

La place de Laborde s'appelait place des Grésillons avant 1837. Sur l'emplacement du square de Laborde se trouvait en 1852 un marché et une fontaine. Au 18 de la place est l'hôtel de M. le duc de Gadagne. Dans le square groupe en bronze : le *Sauveteur*, par Mombur.

Place St-Augustin.

La statue de Jeanne d'Arc est de Paul Dubois (1901). L'église St-Augustin a été commencée en 1860 par Baltard et achevée en 1871. (Peintures de Bouguereau.) Elle remplace une chapelle provisoire en bois (1854), qui était située rue de Laborde du côté des chiffres impairs.

Rue du Général-Foy (1840).

S'appela rue Malesherbes en 1848. Nom actuel en 1879, en souvenir du général et homme politique (1775-1825).

N° **16**. Habité par Mlle Bartet, sociétaire de la Comédie Française, chevalier de la Légion d'honneur.

N° **23**. École Fénelon.

N° **26**. Œuvres paroissiales de St-Augustin (1870).

N° **37**. Victorien Sardou y habita.

N° **46**. Fut habité par M. Massenet, l'illustre compositeur, qui habita également le 8.

Rue de la Bienfaisance.

La rue, décidée en 1816, fut alignée entre la rue du Rocher et la rue de Miromesnil en 1846 et nivelée entre l'avenue de Messine et la rue de Miromesnil en 1883. S'appela rue de l'Observance. Nom actuel en 1879. La partie entre le boulevard Malesherbes et l'avenue de Messine porta le nom de rue de Rovigo en 1869. Le docteur Goëtz, décédé en 1813, habitait au 9 (ancien 5). Sa bienfaisance fut la cause du nom actuel de la rue. Le ministre Chasseloup-Laubat habita également la rue et la même maison.

N° **7**. École libre de la paroisse St-Augustin.

N° **14**. Rue Portalis (1859). Achevée en 1867. Doit son nom au jurisconsulte et homme politique (1745-1807).

N° **11**. Avenue Portalis (1859). Dénommée en 1864. Elle se trouve sur l'emplacement d'une partie de la rue d'Astorg qui allait jadis jusqu'à la rue de la Bienfaisance.

Au 8 se trouve le presbytère de St-Augustin et au 2 l'entrée de la caserne de la Pépinière.

N° 28. Lycéum de France.

N° 29. Hôtel de Mme A. Schelcher.

N° 42. Habité par Mlle Chenal, de l'Opéra.

N° 44. Hôtel construit en 1866. Hôtel de M. le docteur Lanceraux.

N° 48. Fut hôtel Van Blarenberghe. Cet hôtel, construit en 1865, fut en 1906 le théâtre d'un drame terrible. M. Van Blarenberghe dans un accès de folie, tua sa mère et se suicida ensuite.

N° 50. Hôtel de M. le comte de Ribes. Au 40 s'ouvre la rue Treilhard.

Rue Treilhard (1865).

Nom en mémoire du légiste et homme d'État (1742-1810).

N° 6. Rue Corvetto (1884). Nom en 1887 en mémoire du financier et homme d'État (1775-1822).

N° 8. Rue Mollien (1883). Nom en mémoire de l'homme d'État (1757-1850). La rue Mollien est réunie à la rue Corvetto par la rue Maleville, ouverte en 1883 et dénommée en mémoire du jurisconsulte (1741-1824). Cette dernière rue, ainsi que la rue Treilhard et la rue Corvetto, longe le marché de l'Europe établi en 1875 sur l'emplacement de l'ancienne rue de Francfort. Ce marché a été diminué en 1906 par l'installation d'un garage dit de Messine.

N° 15. Habité par Mme Consuelo Fould, artiste peintre.

Avenue de Messine.

L'ancienne rue de Messine ouverte en 1826 allait de la rue de Téhéran à la rue de Lisbonne. Elle fut prolongée en 1862 jusqu'au boulevard Haussmann à travers l'emplacement de l'ancien abattoir du Roule. (Voir rue de Miromesnil.) La rue de Messine a été transformée en avenue par application d'une décision de 1821. La statue de Shakespeare, œuvre de Fournier, érigée en 1888 a été offerte à la Ville par William Knigton.

Nº **13.** **Square de Messine.** Au 5 du square, Institut philanthropique fondé par le docteur Dupeyroux. Au 19, école des frères de St-Philippe. Les jardins qui longent le côté pair du square sont ceux de l'hôtel du prince Murat (28, rue de Monceau).

Nº **22.** Hôtel de Mlle Cavalieri, artiste lyrique.

Nº **23.** **Rue de Messine,** créée en 1905 sur l'emplacement de l'ancien couvent des Carmélites qui subsista là de 1855 à 1904. Avant les Carmélites, le terrain était occupé par les anciennes écuries du Prince Président, avant leur transfert au quai d'Orsay, et l'ensemble des terrains avait été détaché en 1776 de la propriété du duc d'Orléans pour son fils le duc de Valois.

Rue de Téhéran.

Commencée en 1810. La partie située entre le boulevard Haussmann et la rue de la Bienfaissance fut percée sous le nom d'avenue de Plaisance, et cette partie longeait l'abattoir du Roule. La partie nord de la rue a été ouverte en 1826. Nom actuel en 1864.

Au 15 habite Mlle Cléo de Mérode, artiste.

Rue de Lisbonne (1826).

La partie située entre l'avenue de Messine et la rue de Courcelles date de 1861. La rue possède de nombreux hôtels parmi lesquels nous citerons le 3, dont les jardins donnent 7, rue du Général-Foy.

N° 6. Hôtel de M. E. Martell. Au 19, hôtel de M. de Beaux. (Propriété de Mme la comtesse de Poix.)

N° 28. Hôtel de Mlle Grand de Dédem. Le 32 a un bandeau sculpté.

N° 50. Hôtel de M. le baron Empain. Au 52, hôtel de Mme G. Martell.

N° 54. Hôtel de M. E. Rodocanachi, homme de lettres.

N° 58. Orné d'un motif (1877). Au 47 est la légation du Brésil.

N° 60. Hôtel de M. Martin Le Roy. Le 62 est décoré de faïences.

N° 64. Hôtel de M. Boivin.

N° 55. Hôtel construit en 1872. Habité par M. A. Guillaume, artiste peintre.

Rue de Monceau.

Cette rue, indiquée sur les plans du XVIIe siècle comme voie conduisant à l'ancien village de Monceau, a été commencée en 1801. La partie qui s'étendait entre la rue de Courcelles et la rue du Rocher s'appelait rue de Valois-du-Roule. Cette partie s'est aussi appelée rue Cisalpine. Le nom vient de l'ancien village de Monceau ou Mousseau.

N° 14. Joli petit hôtel ancien au fond de la cour. (Propriété de M. Julliot.)

N° 11. École libre de filles dirigée par les sœurs. Au 13 les Sœurs de St-Vincent-de-Paul.

N° 15. Dispensaire de l'Assistance publique.

N° 17. Institution des religieuses de St-Joseph.

N° 25. **Rue Rembrandt** (1867). Dénommée en 1868 en l'honneur du grand maître (1608-1669). La rue Rembrandt possède de jolis hôtels modernes. Citons le 4 (hôtel de M. le docteur A. Millard), le 6 (hôtel de M. de Billy), le 19 (hôtel de M. J. Stillman), le 11, le 9 (hôtel de M. V. Martin Le Roy), le 1 (hôtel de M. le baron Baeyens. Propriété de M. Ziegler), etc.

N° 28. Hôtel de S. A. R. le prince Murat.

N° 31. Hôtel de Mme Madeleine Lemaire, artiste peintre. Au 33, hôtel de M. L. Monnier. (Propriété de M. J. Lebaudy.) Au 35, hôtel.

N° 30. Propriété de la Société civile Monceau. Fait partie de l'Institution Ste-Marie.

N° 32. Emplacement de la maison où naquit en 1799 Oscar Iᵉʳ, fils de Bernadotte et de Désirée Clary. Il passa les premiers temps de son enfance dans cette maison qui portait alors le n° 291, de la rue Cisalpine. Il alla ensuite à Sceaux, 3 rue de la Lune. La maison actuelle fut l'hôtel de M. St-Georges Armstrong. Institution Ste-Marie depuis 1897.

N° 42. Nous lisons encore l'inscription : Ancienne rue de Valois-du-Roule.

N° 41. **Avenue Ruysdaël** (1867). Dénommée en 1868, en l'honneur du peintre hollandais (1636-1681). Nous voyons dans cette avenue de beaux hôtels modernes, au 2, au 1. Le 3 est l'hôtel de Mme La Mise de Villehermose, le 4, est l'hôtel de M. P. Lozouet, le 6, celui de M. E. Bieckert. Au 3, s'ouvre La rue Murillo, dont la notice est à la suite de la rue de Monceau.

N^{os} **45-47**. Hôtel de M. le baron M. de Rothschild, qui renferme les magnifiques collections formées par le baron Adolphe de Rothschild.

N° **52**. Hôtel de Mme de La Ville Le Roulx. Au 51, hôtel au fond de la cour. Au 53, hôtel de Mme P. Béjot.

N° **55**. Pailleron y mourut (1899).

N° **61**. Hôtel de M. G. Menier.

N° **63**. Hôtel de Mme la comtesse N. de Camondo.

N° **66**. **Rue de Vézelay** (1863). Ouverte sur les terrains de M. Bouret de Vézelay, écuyer, ancien trésorier de l'artillerie et du génie, qui possédait des terrains considérables dans ce quartier au commencement du XIXe siècle.

Rue Murillo (1867).

Doit son nom au peintre espagnol (1618-1682). Cette rue est à peu près uniquement composée d'hôtels particuliers modernes.

N° **1**. Fut l'hôtel du financier Crosnier qui s'y suicida. Au 3, hôtel ainsi qu'au 5.

N° **9**. Hôtel de M. Clausse construit en 1870. Nous voyons dans la cour des chapiteaux et divers fragments provenant des Tuileries, une pierre romaine, un buste, etc., le tout artistiquement disposé.

N° **11**. Habité par M. J. Leitner, sociétaire de la Comédie-Française.

N° **13**. Les trois médaillons représentent Palestrina, Michel-Ange et le Bramante. Le 19 est également orné d'un médaillon.

N° **21**. Hôtel de M. Viellard. Au 25, hôtel de M. le comte J. d'Arlincourt.

N° **26**. Hôtel de M. le duc de Brissac. (Propriété de Mme la duchesse d'Uzès.)

Nº **24**. Hôtel de M. le comte R. Chandon de Briailles. Au 22, hôtel de M. E. Le Normand.

Nº **20**. Reinach s'y suicida. Hôtel de M. de Viefville.

Nº **18**. Hôtel de Mme O. Homberg. Le 16, construit en 1869, est l'hôtel de M. S. Elizade.

Nº **6**. Habité par Mme Bréval, de l'Opéra.

Boulevard Malesherbes.

(Partie comprise entre le boulevard de Courcelles
et la place de la Madeleine.)

Ce boulevard fut décidé en 1800 et commencé en 1854 du côté Sud. Il ne fut terminé qu'en 1866. Nom en l'honneur du défenseur de Louis XVI (1721-1794). Le boulevard a absorbé la rue Rumford qui allait de la rue Lavoisier à la rue de la Pépinière.

Nº **117**. **Avenue de Valois**. Doit son nom au voisinage de l'ancienne rue de Valois-du-Roule, qui a été absorbée par la rue de Monceau.

Nº **90**. Ancien hôtel du marquis de La Valette, époux de Mlle Rouher.

Nº **11**. **Avenue Vélasquez** (1861). Doit son nom au peintre espagnol (1599-1660). Cette avenue est bordée de beaux hôtels modernes. Au 2, est le consulat de Perse. Le 4, est l'hôtel de M. E. Gouin. Avant 1910, cet hôtel était occupé par Mme J. Gouin, veuve du régent de la Banque de France, qui fut lâchement assassinée en chemin de fer en 1909. Le 6, est l'hôtel de M. R. Jameson. Le 5, était l'hôtel de M. Chauchard qui y mourut en 1909. On se souvient qu'il légua une partie de ses belles collections au Louvre, et que ses funérailles furent pompeuses.

Au 7 de l'avenue Vélasquez, se trouve l'hôtel Cernuschi, qui est maintenant un Musée d'art oriental.
Henri Cernuschi (1821-1896), qui était né à Milan, prit
part au soulèvement de cette ville contre la domination
autrichienne ; il prit part également en France à la
Commune, et se fit naturaliser Français en 1871. Il fut
d'ailleurs un économiste distingué, et, à sa mort, il légua
son hôtel et ses belles collections à la Ville. Le musée,
sur la façade duquel nous voyons un médaillon de
Léonard et un autre d'Aristote, a été inauguré en 1898.
(A visiter de 10 heures à 4 heures.)

N° **66**. Était habité par Coquelin cadet, en 1908.

N° **53**. **Rue de Rigny** (1788). Jadis rue St-Michel.
Nom actuel en 1864 en mémoire du vice-amiral de Rigny
(1782-1835).

N° **56**. Bel hôtel moderne de Mme Hébert, dont les
jardins s'étendent jusqu'à la rue du Général-Foy. Au 57,
hôtel de Mme de Lassus.

N° **50**. Habité par M. Paul Déroulède, homme de
lettres, et président de la Ligue des Patriotes.

N° **36**. Habité par M. Raphaël Duflos, sociétaire de
la Comédie-Française. Au 10 habite Mlle Invernizzi.
Au 8, est le British-Club.

Boulevard Haussmann.

(Partie comprise entre la rue du Havre
et la rue du Faubourg-St-Honoré.)

Cette partie a été commencée en 1857, par le baron
Haussmann, préfet de la Seine (1809-1893).

N° **55**. Maison ayant comme enseigne des carapaces
de tortues.

N° **61**. Habité par M . E. de Grimberghe, artiste peintre.

N° **67**. Habité par M. C. Galeotti, compositeur de musique.

N° **82**. Maxime Ducamp y habita. Yacht-Club de France.

N° **81**. Hôtel de M. E. Mareuse, président de la Société historique du VIII° arrondissement. M. Mareuse y possède une très belle bibliothèque d'ouvrages sur Paris.

N° **112**. Habité par S. A. R. le duc de Penthièvre.

N° **109**. **Rue d'Argenson** (1862). Doit son nom à la famille d'Argenson qui a donné à la France plusieurs hommes politiques au xvii° et au xviii° siècles.

N° **117**. Hôtel de M. le docteur Labbé, membre de l'Institut.

N° **121**. Charles Franconi, le dernier représentant de la famille des Franconi, qui depuis plus d'un siècle furent l'honneur des cirques, y mourut en 1910. Il habitait antérieurement 12, rue Lavoisier.

N° **121**. **Avenue Percier**. S'appelait avant 1844 avenue de l'Abattoir-du-Roule, parce qu'elle aboutissait à l'abattoir de 1810. Nom actuel en l'honneur de l'architecte (1764-1838). Au 11 s'ouvre la **rue de La-Baume** (1858), qui fut ouverte sur les terrains de M. de Labaume-Pluvinel. Dans cette rue se trouvent plusieurs hôtels modernes. Les beaux jardins qui longent la rue du côté Sud sont ceux de l'hôtel du comte de Ségur (44, rue la Boëtie). Au 15, hôtel de M. Frédéric Masson, de l'Académie française. Au 10 est le cours Montalivet. Au 11, hôtel de M. Renault. Au 5, hôtel de M. le duc de Montesquiou-Fézensac. Au 2, hôtel de M. Despeaux, etc.

Nᵒ **130**. Habité par Mlle S. Devoyod, de la Comédie-Française.

Nᵒ **144**. Habité par M. L. Bernier, architecte, membre de l'Institut.

Nᵒ **150**. Square Beaujon.

Nᵒ **155**. Habité par M. Jules Claretie, de l'Académie française, administrateur de la Comédie-Française et M. J. Delafosse, homme de lettres.

Nᵒ **157**. Habité par M. H. Bernstein, auteur dramatique et M. A. Messager, compositeur de musique, directeur de l'Opéra.

Nᵒ **158**. Hôtel de Mme E. André, née Jacquemart.

Nᵒ **169**. Mme Krauss, de l'Opéra, y mourut en 1906.

Nᵒ **173**. Hôtel du XVIIIᵉ siècle. (S'ouvre 186, rue du Faubourg-St-Honoré.) Cet hôtel ancien fait un intéressant anachronisme sur le boulevard moderne. (Propriété de M. Lorin.)

Nᵒ **184**. Fut hôtel du comte de Duranti, et cercle dit des Étrangers. (Propriété de M. Marcé.)

Nᵒ **190**. Consulat d'Haïti.

Rue de Courcelles.

(Partie comprise entre l'origine de la rue
et le boulevard de Courcelles.)

Autrefois c'était le chemin et la rue de Villiers. Avant le second Empire elle se terminait au boulevard de Courcelles. La rue de Chartres, qui commençait à la barrière de Montceau et qui s'appela rue de Chartres-du-Roule et rue de Mantoue de 1798 à 1814, fut réunie à la rue de Courcelles en 1814. Cette voie menait à l'ancien village de Courcelles près de Clichy. Entre la rue de

Monceau et le boulevard de Courcelles elle longeait le
parc Monceau qui a été fortement diminué. — La rue de
Courcelles a été éventrée par le boulevard Haussmann et
l'avenue Hoche (primitivement boulevard Monceau), et
elle a été lardée par le percement des rues de La
Baume, Rembrandt, de Lisbonne, Murillo, Alfred-de-
Vigny et de l'avenue Van-Dyk.

La princesse Pauline Borghèse habita dans la rue un
hôtel qui fut plus tard, la résidence des Cambacérès, duc
de Parme, puis la demeure de Dickens. Le comte de
Castellane acquit cette propriété en 1838. La princesse
Mathilde, avant la guerre, possédait dans la rue de Courcelles, un charmant cottage situé un peu au-dessous du
point de section du boulevard Haussmann. Ce cottage
avait été construit par M. Delorme, avocat au Parle-
ment, auquel succédèrent son gendre, le marquis de
Tamisier, puis le général Herréra, ancien Président du
Pérou, et la reine Marie-Christine sous Louis-Philippe.
Le Prince Président en fit l'acquisition et en dota sa
cousine qui s'était installée provisoirement 12, rue de
Courcelles. En face se trouvait l'ancienne légation de
Danemark, qui fut longtemps occupée par la princesse
Lise Troubetzkoy. En 1845 Augustin Thierry habitait le
35 (ancien) La maison de M. Nisard, membre de l'Aca-
démie française, a disparu lors du percement de l'avenue
Hoche.

N° **9.** Presbytère de St-Philippe-du-Roule (appartient
à la ville).

N° **10.** Hôtel de Mme Delagarde. Au 12, hôtel de M. le
vicomte de La Villestreux.

N° **13.** Emplacement d'une des dernières fontaines
marchandes de Paris qui existait encore en 1903. Aujour-
d'hui Service municipal des Eaux.

N^{os} **14** et **16**. En pénétrant ici par une petite allée particulière, on est agréablement surpris de trouver dans ce coin de Paris des jardins et des villas tranquilles, non loin des tapageuses rues avoisinantes.

N° **38**. Hôtel de M. Bidoire.

N° **59**. Emplacement de l'hôtel Blount démoli en 1907. On doit tracer ici une rue nouvelle, dans le prolongement de la rue de Lisbonne, rue qui ira aboutir rue du Faubourg-St-Honoré à travers les terrains de l'ancien couvent des Dominicains.

N° **61**. Hôtel de Mlle Grandjean, décédée en 1909. Elle a légué son hôtel ainsi que ses tableaux et objets d'art à l'Union centrale des Arts décoratifs, à charge pour elle d'organiser un musée dans l'hôtel même, musée qui devra prendre le nom de Musée Grandjean.

N° **63**. Hôtel de M. Veil-Picard. Au 61, hôtel.

N° **76**. Hôtel de M. le duc de Luynes.

N° **78**. Hôtel de Mme la duchesse d'Uzès, née de Rochechouart-Mortemart.

N° **78**. **Avenue Van-Dyck** (1861). Créée sur le parc Monceau. Doit son nom au peintre flamand (1597-1641). Au 5, ancien hôtel Menier, actuellement hôtel de Mme la comtesse Lepic. Au 6, hôtel de M. Joseph Reinach.

N° **30**. **Rue Alfred-de-Vigny** (1861). S'appela rue de Vigny de 1867 à 1902. Nom en l'honneur du littérateur (1797-1863). La partie de la rue située au Nord du boulevard de Courcelles est située dans le XVIIe arrondissement. Au 2, hôtel de Mme Bertin-Mention. Au 4, hôtel de M. le comte de La Béraudière. Au 8, hôtel de H. Menier. Au 10, hôtel de M. E. Pereire. Au 9 habite M. Reynaldo Hahn, compositeur de musique.

N° **75**. Le prince de la Moskowa, fils du maréchal, y mourut en 1882.

N° **75. Rue Daru** (1790). Ouverte sous le nom de
rue de la Croix-du-Roule. En 1796 elle s'appela rue de
Milan et en 1867 elle reçut son nom actuel en l'honneur
de l'historien et homme d'État (1767-1829). Au 22,
cercle Hoche (cercle d'escrime). Au 14, bel hôtel de
Mme la duchesse de Mier. Au 12 se trouve l'église
russe édifiée en 1861 par souscription, sur les plans de
Kousmine, dans le style byzantino-moscovite. (A l'intérieur intéressantes peintures des frères Sorokine, de
Bronikoff, de Vassilieff.)

N° **90.** Hôtel de M. A. Rochet.

N° **94.** Hôtel de Mme la comtesse de Louvencourt.

Boulevard de Courcelles (1789). (Côté impair.)

Depuis l'annexion ce boulevard a englobé les anciens
boulevards de Monceau, de Courcelles et le chemin de
ronde de la barrière de Courcelles.

N° **29.** Maison modern-style.

N° **33.** Hôtel de M. Henri Pereire.

* Le parc de Monceau dépendait autrefois de la sei-
gneurie de Clichy et ce fut Grimod de La Reynière qui le
vendit à la famille d'Orléans (1778). Carmontelle, auteur
dramatique, y créa un magnifique jardin anglais pour le
duc d'Orléans (Philippe-Egalité) (1785). Ce jardin cou-
vrait un immense quadrilatère compris entre le boulevard Malesherbes, la rue de Valois (aujourd'hui rue de
Monceau) et la rue de Courcelles. Bien national en 1794.
La Convention créa divers établissements publics
dans ce parc immense appelé alors : les Folies de
Chartres. Cambacérès en fut gratifié par Napoléon.
Louis XVIII le restitua à la famille d'Orléans entre les
mains de laquelle il resta jusqu'en 1852. Acquis par

l'État, il fut tranformé et diminué par Alphand. Depuis 1870 il appartient à la Ville. Les constructions du parc (pavillons du Prince, etc.) remaniées sous le premier Empire, furent démolies en 1861. Elles occupaient l'emplacement du pâté de maisons qui se trouve entre les rues de Courcelles, de Lisbonne, Murillo, Rembrandt.

La Naumachie, bassin ovale bordé d'une colonnade corinthienne provient de N.-D. de la Rotonde à St-Denis, église qui était destinée à la sépulture des Valois et qui fut démolie en 1719. |La grande arcade Renaissance à côté de la Naumachie provient de l'Hôtel de Ville incendié en 1871. Dans le parc se trouvent les monuments de Pailleron, d'Ambroise Thomas par Falguière, de Guy de Maupassant par Verlet (1897), de Gounod par Mercié (1903), etc. Sur les pelouses nous voyons des statues en bronze et en marbre : l'Abandonnée par Vital Cornu, le Jeune Faune par F. Charpentier, le Joueur de billes par Lenoir, la Lionne blessée par Valton, l'Amour blessé par Mabille, le Semeur par Chapu, le Moissonneur par Gaudez, etc. Les portes de fer sont de Davioud.

La Rotonde de Chartres faisait partie de l'enceinte des fermiers généraux. Elle ne servait pas d'entrée à la ville et avait été construite en vertu d'un accord entre la ville et le duc d'Orléans. Elle s'appelait : bureau d'observation d'Orléans. Le duc y avait la jouissance d'un salon installé au premier dans la calotte de la Rotonde, auquel il accédait par un escalier qui était également sa propriété.

N° 41. Petit hôtel ancien, et non loin de là, au 51, enseigne moderne de Cadet-Roussel.

N° 73. **Rue Pierre-le-Grand** (1830). Doit son nom

au voisinage de l'église russe. Pierre le Grand fut tzar de Russie de 1682 à 1725.

N° **77**. **Rue de la Néva** (1880). Doit son nom au voisinage de l'église russe. Au 15, l'hôtel assez étrange qui attire l'attention est celui de Mme Liane de Pougy, femme de lettres.

Le boulevard de Courcelles aboutit à la **place des Ternes**, qui est située sur l'emplacement de l'ancienne barrière des Ternes (voir le XVIIe arrondissement).

Rue du Faubourg-St-Honoré.

Jadis chaussée du Roule, puis faubourg du Roule. De la rue Royale jusqu'à la rue de Penthièvre, la rue s'appela : faubourg St-Honoré. De là, elle s'appelait : Bas-Roule, et à partir de la rue de Monceau : Haut-Roule. — Le Roule était un village comme la Ville-l'Évêque. Au XIIIe siècle il s'y tenait un grand marché d'oies. Le Roule fut érigé en faubourg en 1722 et incorporé dans Paris en 1787.

Le sculpteur Bouchardon mourut en 1762 à la barrière du Roule ; son enterrement eut lieu à St-Philippe. Haussmann est né faubourg du Roule, 55, en 1809. Dans la rue du Faubourg-St-Honoré habita Petion en 1791 (au 6 ancien). Siéyès mourut à 88 ans, en 1836, au 116 (ancien) où il était déjà en 1802. Le maréchal de Boufflers de 1811 à 1814 était au 114 (ancien). Le maréchal Marmont, duc de Raguse, était au 126 en 1821. M. Guizot en 1837 était au 52 (ancien). Isopy, le coiffeur de Lamartine était au 264 (ancien). Le maréchal de Lauriston mourut en 1828 au 52 (ancien), etc.

N° **237**. Habité par M. J. Drault, homme de lettres.

N° **235**. Habité par M. L. Delaunay, sociétaire de la

Comédie-Française et Mme Rose Delaunay, de l'Opéra-Comique.

N° **233**. Impasse où se trouvent de nombreux ateliers d'artistes (MM. D. Puech. G. Gasq, etc.). Au 34, réunion évangélique.

N° **266**. Petit bas-relief au-dessus de la porte.

N° **264**. Vieille maison.

N° **223. Square du Roule.**

N° **248. Avenue Beaucourt** (1825). Précédemment impasse. Nom du propriétaire des terrains.

N° **222**. Ancien couvent des Dominicains jusqu'en 1906. Là vécut longtemps le Père Monsabré, le grand prédicateur décédé au couvent des Dominicains du Havre il y a quelques années. La chapelle est désaffectée et un orchestre y est installé. Une voie nouvelle en prolongement de la rue de Balzac sera établie à travers les jardins du couvent qui s'étendaient presque jusqu'à la rue de Courcelles.

Au coin des rues de Balzac et du Faubourg, vis-à-vis l'ancienne chapelle St-Nicolas se trouvait l'ancienne fonderie du Roule. C'est là que fut fondue d'un seul jet la statue équestre de Louis XV (1758). Sous Louis XVI la fonderie fut utilisée par Houdon pour ses travaux. En 1817, Lemot y fondit en bronze la statue équestre d'Henri IV dans le même fourneau qui avait servi à couler la statue de Louis XV. La fonderie fut démolie en 1855 et remplacée par des constructions nouvelles.

N° **193. Rue de Balzac.** Ouverte en 1825 entre l'avenue des Champs-Élysées et la rue de Chateaubriand sous le nom d'avenue Fortunée. Ce nom était le prénom de Mme Hamelin qui en 1825 avait acquis les jardins Beaujon en association avec MM. Rougevin et Cottin. La rue fut prolongée en 1842 jusqu'à la rue du Faubourg-

St-Honoré sous le nom de rue du Moulin-Beaujon. Nom
actuel en 1850 en l'honneur de l'auteur de la *Comédie
humaine* (1799-1850). Dans la rue de Balzac contre le
mur de l'hôtel de Mme la baronne S. de Rotschild, à
l'endroit où se trouvait jadis le 14 de la rue Fortunée,
nous lisons l'inscription : « Ici, s'élevait en 1850 l'hôtel
où mourut en 1850 Balzac ». Il habitait là après son
mariage avec Mme de Hanska. L'immeuble devait être
payé (32 800 francs) en septembre 1850 et Balzac y
mourut sans avoir payé, sans être chez lui. Sa veuve
acquitta la dette et continua à habiter la maison, qui fut
acquise par Mme de Rothschild et démolie en 1890. M. de
Lovenjoul, le célèbre collectionneur, acheta une grande
partie des manuscrits du célèbre écrivain et en a fait
don à l'Institut. (Ils sont actuellement à Chantilly.)
L'hôtel de Balzac touchait à la petite chapelle St-Nicolas
et en face se trouvait l'Institution Gachotte. Cette petite
chapelle St-Nicolas-du-Roule avait été construite en 1780
par l'architecte Girardin pour le financier Nicolas
Beaujon, qui y fut enterré, mais ses restes furent
exhumés et jetés au vent pendant la Terreur. La chapelle a été démolie en 1876, mais la rotonde du chœur a
été conservée et annexée à un pavillon de style Renaissance construit sur une partie de l'ancienne chapelle au
coin de la rue de Balzac et du faubourg. (Voir 11, rue
Berryer.) — J.-M. de Heredia, de l'Académie française,
habita le 11 *bis* de la rue de Balzac. Au 23 est l'hôtel de
Mme E. Joubert. Au 14 est, depuis 1909, la Société d'encouragement à l'aviation.

N° **191. Rue Berryer** (1842). S'appela rue de la
Réforme en 1848. Nom actuel en 1877 en l'honneur du
grand orateur (1790-1868). L'ancienne folie Beaujon
(Chartreuse Beaujon), dont les jardins s'étendaient jus-

qu'à la barrière de l'Étoile et la rue de l'Oratoire-du-Roule (aujourd'hui rue Washington), était sur l'emplacement de l'hôtel de Mme la baronne S. de Rothschild, au 11, hôtel qui a englobé également le petit hôtel Balzac. Les jardins étaient devenus un bal en 1801. (Au 11, restes de la chapelle St-Nicolas).

* N° **208**. Hôpital Beaujon, fondé en 1784 par le financier Beaujon qui habitait alors l'hôtel d'Evreux (Élysée). L'hôpital a été construit par l'architecte Girardin. Sous la Convention, ce fut l'hôpital du Roule.

N°ˢ **163** et **161**. Au vieux coin. Vieilles maisons, débris de l'ancien village du Roule.

N° **186**. Le comte de Nogent, émigré, le vendit à M. Lorin.

N° **153**. Vieille maison du XVIII° siècle.

N°ˢ **141-139**. Emplacement des anciennes écuries d'Artois, construites par Bellanger. La façade donnait rue du Faubourg-du-Roule. Elles devinrent en 1830 écuries royales, puis furent affectées à un hôpital militaire.

N° **137**. Hôtel de Mme H. Schneider, dont les jardins s'étendent jusqu'à la rue d'Artois.

N° **135**. Ancien hôtel de M. Haentjens; aujourd'hui hôtel de M. le comte de Fels.

N° **170**. Hôtel de M. de St-Priest, ambassadeur à Constantinople et gouverneur des pages sous Louis XV. Mme de Genlis y mourut en 1830. Le maréchal Randon y habita. (Voir la cour.) La maison est habitée par M. Etcheverry, artiste peintre. (Propriété de Mme la vicomtesse du Châtel.)

N° **168**. Fut habité par M. Nivelle de La Chaussée, académicien, puis par M. Nisard. Acheté en 1808 par M. Nicolas Haussmann, oncle du préfet de l'Empire. Surélevé en 1853. Le maître St-Saëns y habita depuis son enfance jusqu'en 1876, époque où il alla 11, rue Monsieur-le-Prince.

N° **133**. Hôtel de Mme la comtesse Martin du Nord.

N° **166**. Emplacement d'un ancien hôtel Dupetit-Thouars, disparu, qui avait été antérieurement une maison de campagne de Mme de Maintenon.

N° **127**. Emplacement d'une école d'équitation sous le second Empire.

N° **156**. Petit hôtel du xviiie siècle. (Propriété des héritiers Asselin.)

N° **154**. On a inauguré en 1907 dans la cour de l'École communale le buste de Paul Beurdeley, ancien maire de l'arrondissement.

N° **123**. Emplacement de l'ancien marché de la cour du Commerce.

* L'église St-Philippe-du-Roule a été construite de 1774 à 1784 par Chalgrin. La première pierre en fut posée en 1774 par le comte de Provence. Temple de la Concorde pendant la Révolution. Agrandie en 1833 par Baltard qui construisit la chapelle de Notre-Dame de Toutes-Grâces, affectée aux catéchismes. Transformée intérieurement en 1846 par Godde. (Peintures de Chassériau. La voûte n'est pas en pierre, mais en charpente peinte en tons de pierre.) Dans le fronton triangulaire, belle figure de la Religion par Guadet. L'église est sur l'emplacement d'une maladrerie dite : Hôtel du Bas-Rolle au xviie siècle.

N° **152**. **Passage St-Philippe-du-Roule** (1786). Une décision de 1861 l'a supprimé pour le dégagement de St-Philippe. Il en subsiste une partie.

N° **107**. Marquis de Thorigny. Maison des pages sous Louis XV ; le général Gardanne en était gouverneur sous l'Empire. Hôtel du marquis de Barthélemy.

Depuis 1909, un couturier s'y est installé. (Voir la façade et les jardins donnant 26, avenue d'Antin.)

N° 132. Emplacement de l'hôtel du maréchal Mortier, duc de Trévise.

N° 128. Hôtel de M. le duc de Trévise.

N° 91. Emplacement d'un ancien hôtel La Trémoïlle, puis de Coigny.

N° 89. Bel hôtel de Mme la marquise d'Aligre.

N° 124. Lagrange, le grand géomètre, y mourut en 1813.

N° 120. Construit sous Louis XVI. Comte de St-Didier. Le comte Hocquart jusqu'en 1849. Acheté à cette époque par M. de Gosselin, dans la famille duquel l'hôtel est resté. Loué en 1908 à l'école privée dite de Notre-Dame, et en 1909 à un antiquaire.

85 *bis*. Ancien bureau du duc d'Aumale. Hôtel de la *Revue de Paris*.

N° 85. Marquis d'Argenteuil (1720). M. de Chastenay (1738). Marquis de La Vaupalière (1775). Comte Molé (1810). Baron Rœderer, sénateur (1812). Mme Le Hon. Propriété de M. le baron Gérard. Hôtel de M. le duc de Camastra. La porte urbaine, dite d'Argencourt, qui était voisine devait son nom par corruption à l'hôtel du marquis d'Argenteuil.

N° 83. Emplacement de l'hôtel Rampon (1808), devenu hôtel Praslin en 1812. (Propriété de M. le baron Gourgaud.)

N° 81. Emplacement des écuries du comte de Fersen sous Louis XVI.

N° 118. Ancien hôtel d'Entragues, puis d'Apchon. (Propriété de Mme de Corcelle.) A côté de cet hôtel se trouvait en 1787 l'hôtel de Chastenoye.

N° 116. La marquise de Louvois, née Monaco, avant

la Révolution. Le général Soulès (1808). (Propriété de
M. Méric.)

N° **76**. Hôtel du xviiie siècle. Chambre de Commerce
italienne. (Propriété de Mme Monthiers-Dehaynin.)

N° **114**. Enseigne de pharmacien.

N° **112**. Fut hôtel du duc de Noailles sous la Régence.
M. de Damas, aide de camp de Rochambeau pendant la
campagne d'Amérique. Hôtel de Castellane, où fut créée
la comédie de salon. C'est là que débuta Augustine
Brohan en 1851. Hôtel actuel de M. G. Gaudin.

73 *bis*. Fut pendant quelque temps le couvent des
sœurs dites de la Mère de Dieu, avant leur transfert au
18 de la rue de la Ville-l'Évêque, où elles ne sont plus
depuis 1906. Hôtel de M. Moreau-Nélaton, artiste
peintre.

N° **61**. Emplacement de l'hôtel du maréchal Moncey
en 1808, qui devint hôtel Conegliano en 1812.

N° **61. Rue du Cirque** (1847). Ouverte sur les terrains du duc de Galliera. S'appela rue de Joinville. Elle
conduisait au cirque des Champs-Élysées démoli en
1900. L'hôtel que nous voyons au 16 est l'hôtel du baron
G. de Rothschild (23, avenue de Marigny). Lenôtre avait
jadis sur cet emplacement une maison de campagne. Au
5 habite M. Le Bargy, sociétaire de la Comédie-Française, et au 19 Mlle M. Ricotti, de l'Opéra.

N° **59**. Emplacement de l'hôtel Simon en 1812.

N° **57. Avenue de Marigny** (1767). Doit son nom
au marquis de Marigny, frère de Mme de Pompadour et
créateur de l'avenue. Au 23, hôtel de M. le baron G. de
Rothschild.

La place **Beauvau** a été créée en 1836.

* N° **96**. Hôtel construit par Le Camus de Mézières
pour le prince de Beauvau. Municipalité en 1801. Hôtel

garni sous le premier Empire, dénommé hôtel du Prince
de Galles. Comtesse d'Houdetot. Duc de Noailles. La
générale comtesse Dupont, veuve du général qui capi-
tula à Baylen. (Elle alla habiter ensuite au château des
Ternes.) Le poète St-Lambert y mourut. Ernest André.
Ministère de l'Intérieur depuis 1861. C'est la duchesse
de Persigny qui exigea le transfert à la place Beauvau
du ministère de l'Intérieur qui était antérieurement rue
de Grenelle.

N° **94.** M. de Chavigny. Baron de La Fresnaye, son
gendre. Dépendait de l'hôtel Beauvau. Les œils-de-bœuf
sont modernes et ont été établis lors de l'installation de
l'antiquaire Doucet dans la maison.

* N° **51.** Palais de l'Élysée, bâti en 1718 par Mollet
pour le comte d'Évreux (Louis-Henri de La Tour d'Au-
vergne, époux de Mlle Crozat.) Mme de Pompadour
l'acheta 500 000 francs en 1753. Le marquis de Marigny
y habita. L'hôtel fut embelli par Lassurance et augmenté
de l'enclos Thorigny possédé alors par la veuve de
Le Nôtre et une nièce de Bossuet. On y ajouta également
le jardin des Goulettes qui se trouvait sur l'emplacement
de la rue de l'Élysée. Après la mort de la marquise, ce
jardin à fleurs fut concédé au financier Bouret qui y fit
construire un hôtel qui fut plus tard hôtel Sebastiani-
Praslin. Après la mort de la marquise de Pompadour
survenue à Versailles en 1764, son corps, selon ses derniers vœux, fut ramené à son hôtel avant d'être porté à
l'église des Capucines. Mme de Pompapour légua
l'hôtel au roi pour le comte de Provence. Louis XV
changea la destination. Logement des ambassadeurs
extraordinaires. Garde-meubles (1768) pendant peu de
temps. Le financier Beaujon (1773), qui l'agrandit.
Louis XVI racheta l'hôtel en 1786 et le revendit à la

duchesse de Bourbon, mère du duc d'Enghien (1786). La
duchesse de Bourbon loue l'hôtel au sieur Horvyn. Ce
dernier, avec Velloni, en fit un lieu de plaisir sous le nom
d'Élysée et de hameau de Chantilly. Le jardin à la française devint alors un parc anglais ; on y donna des fêtes
champêtres. Séquestré à la Révolution et vendu comme
bien national en 1798 à la société Horvyn. Mlle Horvyn
le revendit en 1805 à Murat et à sa femme Caroline
Bonaparte. Le palais est remanié par Percier et Fontaine et retourne à la couronne. Napoléon au moment de
son divorce le donne à Joséphine qui, préférant la Malmaison, le revend à Napoléon. Le palais s'appela Élysée
Napoléon. L'Empereur y signa sa seconde abdication et
c'est de là qu'il partit pour la Malmaison en 1815. Le
duc de Wellington et l'empereur de Russie l'occupèrent
en 1815. Le duc et la duchesse de Berry (1815). On y
rapporta le corps du duc après son assassinat (1820).
Le palais après la mort du duc resta inhabité jusqu'en
1827, et la duchesse de Berry, veuve, se retira aux Tuileries. Hôtellerie des Princes jusqu'en 1870 sauf en 1850
où il est habité par le Prince Président qui y prépara le
coup d'État avec Persigny, Morny, et le général St-
Arnaud (2 décembre 1851). Sous Louis-Philippe le
Palais reçut Méhémet Ali et la reine Marie-Christine.
En 1848, il fut le siège de la Commission des dons
patriotiques. Sous Napoléon III, le palais fut restauré
par l'architecte Lacroix et le peintre Sébastien Cornu
qui étaient l'un le frère et l'autre le mari de Mme Hor-
tense Cornu, sœur de lait de l'Empereur. C'est de cette
époque que date la façade sur la rue et l'isolement du
Palais par le percement de la rue de l'Élysée. Au 4 septembre, l'Élysée fut occupé par l'État-major de la garde
nationale et il fut sauvé en 1871 par le conservateur qui

y opposa des faux scellés judiciaires. Depuis, l'Élysée
sert de résidence aux Présidents de la République
(Thiers, maréchal de Mac-Mahon, Grévy, Carnot,
Casimir-Perier, Félix Faure, M. Loubet, M. Fallières).
En 1888 on a construit une salle des fêtes. (Œuvre de
Chancel et plafonds de Dubufe.)

N° 82. Fut habité par Sully Prudhomme, mort à Cha-
tenay en 1907. « Foyer du Poète », conservé pour ses
amis et ses disciples (au troisième étage).

N° 76. **Rue de Duras** ouverte en 1723 sur les jardins de l'hôtel du maréchal de Duras (1622-1704). Cet
hôtel construit par Boffrand s'étendait sous Louis XVI
jusqu'à la rue d'Aguesseau. Il a été divisé depuis en plusieurs lots particuliers.

N° 76. Hôtel de Mme Monthiers-Dehaynin. Au 68,
hôtel de Mme L. Stern sur l'emplacement de l'hôtel de
Duras.

N° 49. **Rue de l'Élysée.** Ouverte en 1851 par ordre
du président Louis-Napoléon pour isoler le palais. La
rue est sur l'emplacement des jardins de l'Élysée et sur
celui de l'hôtel Sébastiani.

L'hôtel Sébastiani s'ouvrait sur le faubourg par une
haute porte cochère ; une avenue de 60 mètres environ
conduisait de cette porte à l'hôtel lui-même, dont les
jardins s'étendaient jusqu'à l'avenue Gabriel. Cet hôtel
avait été construit pour le financier Bouret par Bertrand
sur l'emplacement des jardins à fleurs de Mme de Pompadour. Le financier y mourut en 1777. La duchesse de
Fallary (Marie-Thérèse d'Haraucourt), maîtresse du
Régent, y eut un logement après la mort du duc
d'Orléans. Elle quitta en 1767 cet hôtel où elle donnait
à jouer et alla mourir en 1782 au 19 de la rue Basse-du-
Rempart. Après la mort de Bouret l'hôtel appartint au

prince de Lusace, à Delpech, fournisseur général des
armées du Nord (1795-1804) et fut appelé ensuite en 1808
hôtel Xavier (de Saxe). Le maréchal Sébastiani (1811).
Un pavillon donnant sur le faubourg fut habité par le
maréchal de Castellane. Le 18 août 1847 le duc de
Choiseul-Praslin, pair de France, y assassina sa femme,
née Sébastiani.

La rue de l'Élysée possède des maisons construites à
la mode anglaise. Émile Pereire acheta tout l'îlot situé
à l'Est de la rue. L'impératrice Eugénie en acquit une
partie à l'angle de l'avenue Gabriel et y fit construire
par Lefuel un hôtel destiné à sa mère la comtesse de Montijo. Cet hôtel qui renferme une salle à manger provenant du château de Bercy (construit par Le Vau) et un
boudoir avec des panneaux du second Empire d'A. Jour-
dan où l'on reconnaît les traits du prince impérial
enfant, fut vendu en 1873 par M. Rouher, représentant
la comtesse de Téba, au baron de Hirsch qui fit construire à côté par Peyre et Châtenay l'hôtel actuel (2, rue
de l'Élysée) et l'ancien hôtel impérial ne fut plus qu'une
aile du grand hôtel, type du palais moderne (escalier
monumental).

Le 4, qui appartenait à l'impératrice, fut habité par
M. Rouher, avant son installation au 37 de la rue
La-Boétie. (Propriété de Mme Huntington ainsi que le
2, le 6 et le 8). Au 10 était avant 1906 la nonciature du
St-Siège, qui fut en 1906 le théâtre d'une perquisition
sensationnelle. (Papiers de Mgr Montagnini.) (Propriété
de Mme de Mier.) Autres hôtels aux 8, 12, 16. Le 14
est l'hôtel de M. Fenaille (décoration intéressante du
xviiie siècle à l'intérieur). Le 18 avait appartenu à
l'impératrice et fut occupé par le duc de Persigny, puis
par la comtesse de Mercy-Argenteau, qui vendit son

hôtel en 1885. Il correspondait avec l'Élysée par un
souterrain. (Hôtel actuel de Mme P. Barrachin.)

Nº 47. Emplacement de l'hôtel de Paris de Mont-
martel, marquis de Brunoy. Cet hôtel était le chef-
d'œuvre de l'architecte Boullée qui battit en brèche le
style Louis XV et eut comme élèves Chalgrin et
Brongniart. Les jardins de l'hôtel Brunoy s'étendaient
du côté de l'avenue Gabriel et étaient creusés de pro-
menades souterraines pour ne pas nuire à la vue. En
1812 cet hôtel était devenu l'hôtel Beurnonville et le
général de ce nom y mourut en 1821. Le maréchal
Marmont y habitait en 1825 et la princesse Bagration en
1843. (Le 47 actuel est la propriété de M. Fenaille.)

Nº 45. Hôtel de Mme E. Pereire, sur l'emplacement
de l'hôtel de Portugal en 1812.

Nº 41. Hôtel Pontalba construit par Visconti sur
l'emplacement de l'hôtel de M. de Morfontaine, époux de
Mlle Le Peletier de St-Fargeau, surnommée : la fille
de la Nation. — Aujourd'hui hôtel de M. le baron
Edmond de Rothschild. Cet hôtel, restauré magnifiquement, possède le salon de l'hôtel de Samuel Bernard qui
était rue du Bac et un salon du style arabe le plus pur
dû à Ambroise Aubry, architecte du khédive Ismaël.
(Belles portes.)

*Nº 39. Hôtel du duc de Charost, un des fondateurs
en 1780 de la Société philanthropique. Cet hôtel fut
construit en 1720 par Mazin et resta dans la famille
Charost de 1720 à 1800. Pauline Bonaparte (1803).
L'empereur d'Autriche y logea en 1814. En 1815,
Pauline, qui était devenue princesse Borghèse, dut le
céder au gouvernement anglais. Ambassade d'Angleterre depuis 1825. La reine Victoria y descendit en
1867. Le roi Édouard VII y logea plusieurs fois.

N° **35**. Avait été construit en 1734 et faisait corps avec le 33 comme hôtel Montchenu en 1812. Le corps de logis sur la rue est moderne et a été terminé en 1858 par Armand, architecte de l'ancienne gare St-Lazare. Aujourd'hui hôtel de Mme I. Pereire.

N° **33**. Hôtel du président Chevalier (1714), de La Trémoïlle (1742). Le président Montigny, qui eut comme locataires le prince d'Egmont et M. de Guébriant. — Ambassade de Russie. — Actuellement hôtel de M. le docteur H. de Rothschild, auteur dramatique. Les jardins de cet hôtel comme ceux des voisins s'étendent jusqu'à l'avenue Gabriel, ancien marais des Gourdes.

N° **31**. Élevé par Jacques Gabriel en 1718 pour Blouin, valet de chambre de Louis XIV, puis gouverneur de Versailles et de Marly. (Sa résidence à Marly a été restaurée par V. Sardou.) Ce Blouin avait été l'amant de Mlle Mignard avant qu'elle ne fût sa voisine comme marquise de Feuquières. M. de St-Amarand. M. Michel, directeur de la Compagnie des Indes (1754 à 1764), dont la fille épousa le marquis de Marbeuf. Le marquis de Marbeuf, gouverneur de Corse. M. de Saliani (1789). Joseph Bonaparte (1800). L'empereur donna l'hôtel comme cadeau de noces à Suchet. Actuellement hôtel de M. le comte Pillet-Will. (Belles portes.)

N° **29**. Hôtel construit en 1719 par Lassurance pour la duchesse de Rohan-Montbazon, veuve du duc mort fou à Liège en 1699. Le fermier général Richard (1751) dont le fils le vendit en 1792 à Mme de St-Sauveur. Ses légataires : MM. de Belletrux et Devèze. M. de Lapeyrière, receveur général (1819). Comte de La Panouse (1823). A l'est de cet hôtel St-Sauveur se trouvait en 1812 l'hôtel de Prusse (avant d'arriver rue Boissy-d'Anglas).

Nᵒ **27**. Hôtel du marquis de Feuquières (1740), époux de Mlle Mignard, fille du peintre. M. Thiers y habita. (Propriété de M. Abeille.)

Nᵒ **30**. Cité du Retiro, jadis grande cour des Coches. Elle était occupée par le fermier des carrosses de la Cour. Le girondin Guadet y habita. La loge du Grand-Orient y était située. (Voir 35, rue Boissy-d'Anglas.)

Nᵒ **21**. Boutique de style Empire.

Nᵒ **19**. Cambacérès y habita. En 1792 la maison était occupée par plusieurs députés à l'Assemblée. Cham (Amédée de Noé), le célèbre caricaturiste, y est né en 1819. Habité par M. Franc-Nohain, homme de lettres.

Nᵒ **15**. Poste de forts. (Enseigne représentant un fort de la halle.)

Nᵒ **24**. Vieille maison ainsi qu'au 16.

Nᵒ **14**. Ancienne mairie avant 1830. Le colonel Charras y fut arrêté le 2 décembre.

Nᵒ **4**. Maison moderne assez originale du chocolatier Pihan.

Nᵒ **3**. Changarnier y fut arrêté le 2 décembre. Cette maison fut incendiée par la Commune ainsi que le 4, le 2, le 1.

Rue Royale (1757).

Jadis chemin des Remparts, puis rue Royale-des-Tuileries (1757). Rue de la Révolution en 1792. Rue de la Concorde de 1800 à 1814. En 1830 elle a repris le nom de rue Royale. La porte St-Honoré, qui se trouvait à l'angle de la rue St-Honoré, fut construite sous Louis XIII et démolie en 1733. La rue est bordée d'hôtels construits au xviiiᵉ siècle, sur un plan uniforme de Gabriel, mais actuellement elle est déshonorée par

de nombreuses réclames commerciales. Mme Isnard, qui
eut un salon célèbre, habitait sous l'Empire rue Royale.
La Commune incendia les maisons numérotées 15, 16,
19, 21, 23, 24, 25, 27.

N° **23.** Maison moderne (1907) construite sur l'emplacement d'une ancienne salle des Missions évangé-
liques et d'un théâtre éphémère dit Théâtre Royal
(1906).

N° **24.** Alphonse Allais, homme de lettres, y habita.

N° **22.** Le duc Pasquier, président de la Chambre des
Pairs sous Louis-Philippe, y mourut en 1862.

N° **14.** A l'emplacement du Crédit Lyonnais se trouvait il y a quelques années un cabaret qui avait comme
enseigne : la Porte St-Honoré, enseigne qui rappelait
l'ancienne porte de l'enceinte de Louis XIII qui se trouvait en cet endroit. Claude Bernard habita cette maison
en 1859.

N° **13.** Suard, secrétaire perpétuel de l'Académie
française, y mourut en 1817.

N° **11.** Salle Brunner (expositions).

N° **9.** Maison où mourut en 1827 le duc de La Roche-
foucauld-Liancourt, créateur de l'École des Arts et
Métiers de Châlons. Les ouvriers, dont il était très aimé,
voulurent porter son cercueil, mais la police intervint
maladroitement et il y eut une bagarre.

N° **8.** L'architecte Gabriel y habita.

N° **6.** Mme de Staël y habita à la fin de sa vie. Elle
mourut rue Neuve-des-Mathurins (hôtel Sophie Gay).
Enseigne d'art moderne en bronze.

N° **2.** Ministère de la Marine. (Voir place de la Concorde.) Nous voyons sur la façade donnant rue Royale
une inscription ancienne : Loix et Actes de l'Autorité
publique.

N° **1**. L'inventeur Philippe de Girard y mourut en 1845. (Inscription.) Cercle de la rue Royale.

Avenue des Champs-Élysées.

Jadis grande allée du Roule, puis avenue des Tuileries. Elle s'arrêtait alors à la grande rue de Chaillot. Prolongée en 1672 jusqu'à la porte Maillot par le marquis de Marigny et élargie en 1774. L'avenue traverse entre la place de la Concorde et l'avenue d'Antin, les **Jardins des Champs-Élysées**, ou simplement les Champs-Élysées. L'avenue fut plantée d'ormes sous Louis XIV (1670), par ordre de Colbert : c'était alors le Grand Cours. Les plantations furent renouvelées en 1770 par le marquis de Marigny. Les jardins furent dessinés par Le Nôtre en 1670 : ils faisaient partie du domaine de la couronne, dont ils furent distraits pour être réunis au domaine national en 1792. Ils furent cédés par l'État (Charles X) à la Ville en 1828. S'il nous faut rappeler ici, au point de vue historique, qu'en 1814 les Cosaques du Don y campent, et que le 1er mars 1871 les Prussiens y pénètrent, hâtons-nous de dire que l'avenue magnifique, la plus belle du monde, nous mènera tout à l'heure à l'Arc de Triomphe qui rappellera à travers les siècles les triomphes de la France et la gloire immortelle du Grand Empereur.

Avant 1830 les Champs-Élysées étaient un endroit peu sûr et on n'osait guère s'y aventurer le soir. Depuis 1900 la partie sud des Champs-Élysées a été transformée par la création de l'avenue Alexandre III, qui passe sur l'emplacement de l'ancien palais de l'Industrie.

Le palais de l'Industrie avait été construit en 1855 par l'architecte Vial sur un emplacement appelé le Grand

Carré ou la Grande Salle des Champs-Élysées. Le
terrain en avait été rétrocédé à l'État par la Ville en 1852.
Ce palais servit à l'exposition de 1855, aux salons de
1857 à 1897, au concours hippique, aux comices agri-
coles, etc. Le 4 mai 1897 on y apporta les débris des
malheureuses victimes de l'incendie du Bazar de la
Charité, et quelques mois après, le palais de l'Industrie
tomba sous la pioche du démolisseur.

Lorsque la Ville entra en possession des Champs-
Élysées (1828) elle prit à sa charge les embellissements.
En compensation elle se créa des revenus assez considérables en autorisant moyennant redevances un certain
nombre d'établissements publics (cafés, concerts, restau-
rants, théâtres, édicules loués à des marchands de
gâteaux et de jouets, etc.). Du côté Nord des Champs-
Élysées nous trouvons plusieurs de ces établissements.

Le café des Ambassadeurs, construit sur les plans de
J.-J. Rousseau, est antérieur à la Révolution. Il tirait
son nom de l'hôtel voisin affecté au logement des ambassadeurs. L'établissement fut reconstruit en 1841. A
côté est le café concert de l'Alcazar. On se souvient des
soirées de 1889 où Paulus, le chanteur populaire mort
en 1908 à St-Mandé, entonnait de sa voix métallique le
Père la Victoire et *En revenant de la Revue*, ces chansons
qui eurent alors une grande influence politique. Non
loin se trouvent le pavillon de l'Élysée (dit Petit Paillard),
le restaurant Laurent, et le théâtre des Folies-Marigny.
Ce théâtre s'appela théâtre des Champs-Élysées en 1850,
et théâtre Lacaze en 1855 ; on y donnait des séances de
physique. Il s'appela ensuite théâtre Debureau et
Bouffes d'Été, et fut dirigé par le couple Monrouge.
Après avoir été panorama le théâtre est devenu : les
Folies-Marigny. Dans les environs se trouve la statue

d'Alphonse Daudet, œuvre de M. de St-Marceaux, inaugurée en 1902. Du même côté des Champs-Élysées et
en bordure de l'avenue Matignon s'élevait avant 1900 le
Cirque d'Été construit par Hittorf de 1841 à 1843.
La statue équestre, œuvre de Pradier, qui en ornait
le fronton représentait Mlle Lejars, écuyère. Le directeur Franconi avait débuté là en 1835 sous une tente,
puis le cirque construit s'appela Cirque National de
1843 à 1853, cirque de l'Impératrice pendant l'Empire et
Cirque d'Été après 1870. Il fut démoli en 1900.

Du côté sud des Champs-Élysées nous rencontrons le
Pavillon de la Seine, petit café qui existait déjà en 1852,
le Jardin de Paris qui a remplacé l'ancien café-concert
de l'Horloge, le restaurant Ledoyen qui est antérieur à
la Révolution mais qui a été transformé, et le Palais de
Glace, ancien Panorama du colonel Lamothe, successeur
du colonel Langlois, panorama qui en remplaça un
autre détruit par l'exposition de 1855 qui se trouvait
dans l'axe de la grande porte sud du Palais de l'Industrie. Le Jardin de Paris primitif longeait l'avenue
d'Antin sur l'emplacement du Grand Palais : il a disparu
de cet endroit en 1899. Les guignols ont été fondés
en 1818 par Anatole Guendler.

Le **Rond-Point** des **Champs-Élysées** fut tracé dès
1670 et aménagé en 1815. Au centre se trouvait un bassin
qui était gênant pour la circulation et qui disparut
en 1854 pour être remplacé par six bassins de moindre
importance. Au rond-point se trouvent des beaux hôtels
modernes : le 12, le 14 (hôtel de Mme H. Bamberger),
le 9 (hôtel de M. Sabatier d'Espeyran), le 7, où mourut
Mme J. Stern (Croizette), le 3 (hôtel de M. Massion,
ancien hôtel de la comtesse d'Hautpoul), le 1.

Du rond point part l'**avenue Matignon** créée par le

marquis de Marigny ; elle a été refaite et améliorée
en 1846, et doit son nom au maréchal de Matignon (1646-
1729). Au 11 de l'avenue Matignon mourut Baraguay
d'Hilliers. Henri Heine habita et mourut au 3, en 1856,
au cinquième étage.

Au 2 de l'avenue Matignon se détache longeant les
Champs-Élysées la charmante **avenue Gabriel** qui doit
son nom au grand architecte (1710-1782). L'avenue
Gabriel a été formée en 1818 sur ce qu'on appelait
autrefois le Marais des Gourdes. Ce terrain maré-
cageux était situé entre la place de la Concorde, la Seine,
le Rond-Point et le faubourg St-Honoré. A l'avenue
Gabriel viennent aboutir les jardins des hôtels du
Faubourg St-Honoré, qualifiés du nom d'hôtels magnifiques sur les plans du commencement du XIXᵉ siècle.
Au 4, est l'hôtel de M. le duc de La Trémoïlle, membre
de l'Institut. Au 16, sont les jardins de l'ambassade
d'Angleterre. Le 24, ancien hôtel du baron de Hirsch, est
l'hôtel de M. J. Stern. (Voir 2, rue de l'Élysée.) La porte
monumentale de l'Élysée a été établie en 1905. Au 36,
hôtel dit des Colonnes en 1808 et d'Argenson en 1812,
(Propriété du comte de Liedekerke-Beaufort.) Au 38,
qui est la propriété de M. le baron de Vaufreland, mourut
en 1908 le grand-duc Alexis de Russie, frère de l'empereur Alexandre III. En face de cet hôtel, à côté du
théâtre Marigny et d'un guignol se tient tous les jours
ce qu'on appelle la « Bourse aux timbres », un des mille
curieux petits spectacles de la vie en plein air à Paris.

Nous allons nous engager dans l'avenue des Champs-
Élysées, ce faubourg St-Germain du second Empire.

Nᵒ **15**. Ancien hôtel du duc de Morny, qui était le
voisin de Mme Le Hon. (La Niche à Fidèle.) Cet hôtel
passa ensuite à Mlle Le Hon qui épousa en 1856 le comte

Stanislas Poniatowski, attaché au ministère des Affaires
étrangères. Hôtel de M. E. Archdeacon, député de Paris,
qui y mourut en 1906. Hôtel de Mme E. Archdeacon.

N° 21. Habité par Mlle Dorziat, artiste dramatique.

* N° 25. Hôtel de la Païva, construit de 1856 à 1866
par l'architecte Pierre Manguin. (Type de l'architecture
privée du second Empire.) Le terrain provenait de la
faillite du Jardin d'Hiver. Il fut acheté non à Émile Pereire,
ni à Arsène Houssaye, comme le dit ce dernier dans ses
Confessions, mais à Mme Grelet, née Lemaigre de
St-Maurice. Mme de Païva s'appelait Thérèse Lachmann
et était la femme d'un petit tailleur russe. Elle fut la
maîtresse de Hertz, habita la place St-Georges en face
de M. Thiers et épousa en 1851 le vicomte Armigo de
Païva, mari falot et éphémère qui dans la suite se tira
un coup de révolver dans un hôtel borgne de la rue
Montmartre et mourut à l'hôpital Beaujon. Mme de Païva
devint l'amie du comte Henckel de Donesmark, cousin
millionnaire de Bismark et qui fut plus tard gouverneur
d'Alsace-Lorraine. La Païva donna des fêtes brillantes
dans cet hôtel et elle y reçut comme hommes tout ce qu'on
appellerait aujourd'hui le Tout Paris. A la guerre la
Païva quitta son hôtel et devint la femme légitime du
comte de Donesmark. Son mariage eut lieu en 1871 au
temple de la Rédemption de l'église évangélique de la
confession d'Augsbourg. Elle reparut en 1872, mais peu
de temps, et l'hôtel fut vendu à un banquier de Berlin,
puis en 1895 au restaurateur Cubat. Depuis 1904 l'hôtel
Païva est devenu le Traveller's Club. (Peintures de
Baudry, escalier d'onyx, etc.) La porte monumentale
est du sculpteur Legrain.

N° 33. Rue de Marignan (1858). Nom en souvenir de
la victoire de 1515. Cette rue a détruit l'ancien Jardin

d'Hiver planté d'arbres tropicaux, qui s'étendait entre l'avenue Montaigne et la rue Marbeuf et s'ouvrait sur l'avenue des Champs-Élysées. Au 16 habite M. Pol Plançon, de l'Opéra, ainsi que Mlle Yvonne de Bray, artiste dramatique. Au 12 est l'ancien hôtel de la Vénerie Impériale qui fut habité par le prince de la Moskowa sous le second Empire : c'est l'hôtel actuel de Mme la princesse de Faucigny-Lucinge, née de Choiseul-Gouffier, qui a artistiquement aménagé son hôtel et y possède de précieuses collections d'objets d'art. Au 3 est l'**impasse Bourdin** (1800). Au 11 mourut le maréchal Canrobert en 1895. Au 21 habite M. Stephen Liegeard, homme de lettres et président de la Société nationale d'Encouragement au Bien.

N° **36**. Hôtel de M. G. Béjot.

N° **37. Rue Marbeuf.** A la fin du XVIIIe siècle, c'était la ruelle du Marais, puis rue des Gourdes. Elle dut son nom actuel en 1829 à la folie Marbeuf dont nous reparlerons au sujet de la rue Lincoln. Le comte de Marbeuf (1712-1789) était maréchal de camp et gouverneur de Corse. Il y avait encore au commencement du second Empire une allée Marbeuf qui était située un peu plus haut et parallèle à la rue Marbeuf qu'elle rejoignait à angle droit, au milieu à peu près de son parcours. La rue a été rectifiée et surelevée. A l'emplacement du 18 actuel (ancien 44) se trouvait sous le second Empire la pension Duplay qui était tenue par le petit-fils du menuisier ami de Robespierre : le prince C. Bonaparte y fut élevé ainsi que les jeunes gens de la meilleure société de l'époque. La rue était à peine bâtie à cette époque et il n'y avait qu'un hôtel, celui de Mme de Chasseloup-Laubat.

Au 32 de la rue Marbeuf **est la cité Henri-Lepage**

(ancien passage Ruffin) qui aboutit 17, rue de Marignan.
Au 26 est la **rue Robert-Estienne** (1883), qui doit son
nom à l'imprimeur (1503-1553). Cette rue se bute en
impasse sur un terrain vague qui est la propriété de la
Ville, et où on entasse les débris provenant de l'élagage
des arbres parisiens. Ce bois est distribué aux pauvres
inscrits à l'Assistance publique et l'endroit est dit le
chantier des pauvres. Au 10 de la rue Marbeuf se trouve
la **rue de la Renaissance**, ouverte en 1884. Au 6
de la rue Marbeuf, habite M. Grosclaude, homme de
lettres.

Nº **53**. Habité par Mlle Polaire, artiste dramatique.

Nº **55**. **Rue Pierre-Charron**. (Tronçon compris
entre l'avenue des Champs-Élysées et l'avenue Marceau.)
Cette partie est tracée à peu près sur l'emplacement de
l'ancienne allée Marbeuf. En 1849 elle fut réunie à la rue
de l'Union (rue La Boëtie) et comme elle, s'appela rue
de Morny de 1865 à 1879. En 1879 on lui donna le nom
actuel en mémoire du moraliste (1541-1603). Au 36 est
l'**impasse Pierre-Charron** qui avant 1903 s'appelait
impasse Montesquiou. Au 32 habite M. Henri Lavedan,
de l'Académie française. Au 53 habite M. Maurice Bon-
voisin (dessinateur Mars).

La rue Pierre-Charron possède quelques belles maisons
de rapport et des hôtels modernes comme les : 67 (hôtel
de M. le comte de La Sizeranne), 65 (hôtel de Mme de
Bénardaki), 61 (hôtel de M. le comte de St-Léon), 62
(légation du Paraguay), 49 (hôtel de M. de Lapisse),
45 (hôtel de M. le comte du Bourg de Bozas), 41 (hôtel
de M. Vaïsse), 39 (hôtel de M. le comte de Suzannet),
37 (hôtel de M. W. Blumenthal).

Nº **52**. Hôtel de M. le duc de Massa. (Voir **111**, rue
La Boëtie.)

N°. **63**. Habité par M. Porel, directeur du Vaudeville. Aéro-Club.

N° **66**. Hôtel de M. Amodru. Au 68, hôtel de Mme la comtesse Blanc.

N° **72. Rue Lincoln** (1861). Ouverte sur l'emplacement de l'hôtel d'Albe. S'est appelée rue d'Albe. Nom actuel en mémoire du président des États-Unis (1809-1864). Les anciens jardins Marbeuf s'étendaient entre la rue de Chaillot et l'allée Marbeuf. Le terrain avait été primitivement occupé par deux jardins qui furent achetés sous Louis XV par un riche anglais, Jansen, qui les réunit. En 1787 la propriété appartenait à la comtesse de Marbeuf et s'appelait la folie Marbeuf. Le comte de Choiseul-Gouffier acquit la folie et les jardins devinrent Bal d'Idalie en 1797, et de nouveau jardins Marbeuf sous la Restauration. En 1844 Émile de Girardin acquit l'ancien hôtel de Choiseul-Gouffier qui était presque au coin de la rue de Chaillot. Sous le second Empire la comtesse de Montijo, mère de la duchesse d'Albe, acquit l'hôtel d'Émile de Girardin, les restes de l'ancien jardin Marbeuf, et l'hôtel de Lauriston qui devint hôtel d'Albe. L'impératrice Eugénie, propriétaire de l'ancien hôtel Lauriston, y ayant perdu sa sœur, la duchesse d'Albe, le fit démolir et sur cet emplacement fut ouverte la rue Lincoln.

N° **74**. Hôtel de Mme Sommier (rue de Ponthieu, 57). A côté, au 76, hôtel de M. Dufayel construit en 1905 sur l'emplacement de l'ancien hôtel de Mme la duchesse d'Uzès.

N° **90**. Hôtel des Publications P. Lafitte (1907), qui renferme une salle des fêtes et le Théâtre Fémina.

N° **77**. Hôtel de M. L. Dreyfus. Au 79, hôtel.

N° **79. Rue de Chaillot.** (Partie comprise entre l'avenue des Champs-Élysées et l'avenue Marceau.) Le prolongement de cette partie qui est situé dans le XVIe arrondissement, était jadis la rue principale du village de Chaillot. L'hospice Ste-Perine se trouvait au commencement du second Empire au Nord de la rue, sur l'emplacement de l'avenue de l'Alma et des rues Bassano, Magellan, Christophe-Colomb et Euler. Cet hospice, qui était devenu un asile de vieillards en 1806, grâce à la protection de l'impératrice Joséphine, était autrefois l'abbaye de N.-D. de la Paix, dite de Ste-Gene-viève, à cause des religieuses de Nanterre, qui étaient venues l'occuper en 1659. La communauté s'appela Ste-Perine en 1749 et fut supprimée en 1790; l'hospice qui en avait gardé le nom disparut de cet endroit en 1858, pour le percement de l'avenue de l'Alma, et fut trans-féré 17, rue Chardon-Lagache (XVIe arrondissement).

La rue de Chaillot fut habitée par Neuville, l'époux de la Montansier, et il y mourut, par Barras en 1829, par Cora Pearl (en 1865), dont l'hôtel aujourd'hui démoli fut occupé par Blanche d'Antigny. Mme de Girardin (Del-phine Gay), qui avait habité 11, rue St-Georges puis 41, rue Laffitte, vint habiter en 1843 dans la rue de Chaillot, à l'hôtel du comte de Choiseul-Gouffier. C'est là qu'elle mourut en 1845. Cet hôtel avait été édifié en 1812 sur le modèle d'un temple grec et portait le n° 104 en 1853.

La rue de Chaillot dans notre arrondissement possède quelques beaux hôtels modernes. Au 52 est l'hôtel de M. le duc de Gramont, qui occupe l'emplacement d'une caserne qui existait là au commencement du second Empire. Au 50 est l'hôtel de Mme E. Roussel. Le 40 est l'hôtel de M. le marquis de La Ferronnays. Le 38 dont les jardins s'étendent jusqu'à l'avenue de l'Alma et la rue Pierre-Charron était l'hôtel de M. de Kerjégu, décédé en 1909, etc.

Au 37 de la rue de Chaillot s'ouvre la **rue Magellan,**
ouverte en 1865 et dénommée en 1867. Le 6 est l'hôtel
de M. le comte d'Evry (propriété de Mme la baronne
Seillière) et le 14 est la salle de fêtes dite Washington
Palace. Le 10 est la propriété du comte de Gramont.

N° **99.** Habité par Mlle Sorel, sociétaire de la Comédie-
Française.

N° **101. Rue de Bassano.** (Tronçon compris entre
l'avenue des Champs-Élysées et l'avenue Marceau.) Une
partie de la rue existait en 1730 sous le nom de ruelle
des Jardins. La partie entre la rue Vernet et l'avenue des
Champs-Élysées s'appelait rue du Château-des-Fleurs et
servait de limite orientale au Promenoir de Chaillot qui
avait été créé en 1777. Nom actuel en 1881 en mémoire
de Maret, duc de Bassano, confident de Napoléon Ier
(1763-1839). Beaux hôtels modernes au 31 (hôtel de
M. P. J. Hennessy), au 40 (hôtel de Mlle Texeira-Leite),
au 48 (hôtel de M. Léon Bonnat, artiste peintre, membre
de l'Institut et directeur de l'École des Beaux-Arts). Au
37 habite Mlle Luce Herpin, bien connue en littérature
sous le pseudonyme de Lucien Perey.

N° **102.** Hôtel de M. Binder.

N° **104. Rue Washington** (1789). S'appela rue
Neuve-de-l'Oratoire, rue de l'Oratoire-du-Roule, rue de
Bougainville, rue Billaud en 1867. Nom actuel en 1879
en l'honneur du premier Président des États-Unis
(1732-1798). Au 34 est la **cité Odiot** (1848) qui a une
autre entrée au 26 (cité J.-B.-C.-Odiot) et une sortie
aboutissant 13, rue de Berri. Dans cette cité assez
curieuse se trouve un square. Au 13 se trouve un passage privé aboutissant 11, rue de Chateaubriand et dans
ce passage se trouvent plusieurs ateliers d'artistes, entre
autres celui de M. E. de Marcilly, sculpteur. Au 16 habite

M. Héron de Villefosse, membre de l'Institut. Au 20 est
l'hôtel de M. le prince de Hénin. Au 42 nous voyons les
jardins de l'hôtel du marquis de Casa Riera (29, rue de
Berri).

Nᵒ **116** *bis*. Hôtel de M. A. Dufaur. Au 124, hôtel. Au
136, hôtel de Mme C. B. de Beistegui. Au 140, hôtel de
M. le baron Édouard de Rothschild. (Propriété Bischoffs-
heim). Au 142, hôtel de M. Soubiran.

Nᵒ **103**. Hôtel meublé dit l'Élysée Palace construit
en 1900 sur l'emplacement de deux hôtels en briques,
qui avait été construits par M. de Fontenilliat pour ses
deux filles : la duchesse Pasquier et Mme Casimir-
Perier, mère de l'ancien Président qui y était né.

Nᵒ **115**. **Rue Galilée.** (Tronçon compris entre
l'avenue des Champs-Élysées et l'avenue Marceau.)
Chemin des Bouchers en 1790. Rue du Banquet en
1848. La rue fut achevée en 1864 et reçut son nom
actuel en 1867, en l'honneur de l'astronome italien
(1564-1642). Au 58, hôtel de M. le marquis de Sers. Au
61, hôtel de M. F. Schmit.

Nᵒ **115**. Le maréchal Pélissier, duc de Malakoff, y
habita.

Nᵒ **119**. Hôtel meublé (Carlton) (1907).

Nᵒ **125**. Maison construite en 1856 par l'architecte
Levicomte et décorée de cariatides, œuvre du sculpteur
Aimé Millet. (Propriété de Mme Revenaz.)

Nᵒ **127**. Hôtel de M. Wanamaker, construit en 1905
sur l'emplacement de l'hôtel de la marquise de Lamber-
tye, qui était devenu l'hôtel de M. le marquis de Beauvoir.

Nᵒ **133**. Hôtel meublé (Astoria), construit en 1907
sur l'emplacement de l'hôtel du duc de La Force. L'élé-
vation exagérée et agressive de cet hôtel détruit la belle
harmonie de la place de l'Étoile.

Nº **135. Rue de Presbourg** (1854). Ex-rue Circulaire. Nom actuel en 1864 en mémoire du traité de 1805. Cette rue n'a qu'un petit parcours dans le VIIIᵉ arrondissement, entre l'avenue des Champs-Élysées et l'avenue Marceau.

Nº **152. Rue Arsène-Houssaye.** Percée en 1825 jusqu'à la rue de Chateaubriand ; prolongée en 1842 jusqu'à la rue de la Chartreuse-Beaujon. S'appela avenue du Bel-Respiro avant 1900. Nom actuel en mémoire du littérateur (1815-1896). Au 3, hôtel. Au 6 habita Coquelin cadet, décédé en 1909.

Nº **154. Rue de Tilsitt.** (Partie comprise entre l'avenue des Champs-Élysées et l'avenue de Wagram) (1854). Nom en mémoire du traité de 1807. Cette rue possède de beaux hôtels construits sur un plan uniforme en 1868. Le 1 est l'hôtel de la marquise de Carcano. Au 3, où mourut Mme Le Hon en 1880, mourut en 1908 M. de Lapparent, secrétaire perpétuel de l'Académie des sciences.

Place de l'Étoile.

Au commencement du second Empire, elle était encore en dehors de l'enceinte de Paris et l'avenue des Champs-Élysées s'arrêtait à la grande rue de Chaillot. En 1729, l'Étoile de Chaillot, comme on l'appelait, formait un octogone. La butte de l'Étoile fut aplanie en 1762 et 1774, et la place devint circulaire en 1777. Elle fut entourée d'amphithéâtres gazonnés formant le promenoir de Chaillot. La transformation de la place date de 1854 et l'ancienne Étoile de Chaillot, qui s'était appelée Rond-Point de Neuilly, prit en 1863 le nom de place de l'Étoile. Les hôtels qui la bordent datent de 1868.

La Place de l'Étoile est le sommet de la montagne du Roule (rotulus). Dès Louis XV, on avait eu l'idée d'une décoration monumentale en ce point culminant, et on étudia plusieurs projets, notamment la construction d'un éléphant colossal, projet ébauché plus tard placé de la Bastille. Napoléon décréta, le 18 février 1806, la construction de l'Arc de Triomphe, en commémoration des victoires françaises. Chalgrin en posa la première pierre le 15 août 1806. Quand Napoléon épousa Marie-Louise, l'arc n'était pas achevé et Chalgrin fit exécuter par une charpente recouverte de toile, le simulacre de l'arc achevé, et Napoléon passa dessous, dans la voiture du sacre (1ᵉʳ avril 1810).

Rappelons brièvement les événements historiques dont l'Arc de Triomphe fut le théâtre : Entrée du duc d'Angoulême en 1824 à son retour d'Espagne; inauguration de l'arc achevé (1836); entrée de la duchesse d'Orléans (1837); retour des cendres de l'Empereur (15 décembre 1840); funérailles du duc d'Orléans (1842); distribution des drapeaux à la garde nationale par les membres du gouvernement provisoire (1848); entrée de la reine d'Angleterre, lors de l'Exposition de 1855; campement des Prussiens (du 1ᵉʳ au 4 mars 1871); réception du Schah de Perse par le Conseil municipal (1873); funérailles de Victor Hugo (31 mars 1885), etc.

L'Arc de Triomphe est magnifiquement décoré de sculptures. Le groupe du Départ est de Rude; au-dessus, les Funérailles de Marceau par Lemaire. Le groupe du Triomphe est de Cortot; au-dessus, Murat faisant prisonnier le pacha Mustapha à Aboukir, par Seurre. La Résistance contre les envahisseurs et les Bienfaits de la Paix sont d'Etex; au-dessus, le Passage du Pont d'Arcole par Feuchères et la Prise d'Alexandrie par

Chaponnière. Les bas-reliefs sont de Gechter et de Marochetti. Les Victoires à côté des voûtes sont de Pradier. La frise représente le départ et le retour des armées. Nous lisons les noms des généraux qui ont figuré dans les guerres de l'Empire ; les noms soulignés sont ceux des généraux morts au champ d'honneur. (Ascension tous les jours de 10 heures à 6 heures et de 10 heures à 4 heures en hiver.)

De la place de l'Étoile, qui compte également dans le XVIe et le XVIIe arrondissements, rayonnent dans notre arrondissement plusieurs belles avenues : Wagram, Hoche, Friedland, Marceau, que nous allons visiter successivement.

Avenue de Wagram.
(Côté pair du tronçon compris entre la place de l'Étoile et la place des Ternes.)

Cette avenue, comme les anciens boulevards extérieurs, date de 1789. S'appela boulevard de l'Étoile. Nom actuel en 1864 en mémoire de la victoire de 1809.

No **34**. Maison modern-style (façade en grès), construite par l'architecte Lavirotte en 1904.

No **26**. Habité par M. le vicomte d'Épinay, statuaire. Au 8 s'ouvre la rue Beaujon.

Rue Beaujon (1842).

La rue a été terminée en 1857 sur les terrains de l'ancienne folie Beaujon.

No **15**. Hôtel de M. H. Prat. Au 32, hôtel de M. R. de Madrazo, artiste peintre.

No **11**. Hôtel de S. A. R. Mgr le duc d'Alençon. Le

gracieux portique que l'on aperçoit au coin de l'avenue
Hoche provient de la chapelle du château de St-Cloud.
Il a été réédifié ici par le duc de Nemours ainsi que les
intéressants restes qui sont dans la cour et qui pro-
viennent également du château de St-Cloud.

N° **9**. Hôtel. Au 7, hôtel de M. E. Halphen.

N° **24**. Tattersall (1854).

N° **20**. Là se trouvait avant 1906 la congrégation des
Sœurs de Notre-Dame et le couvent dit du Roule qui
s'étendait jusqu'au 29, avenue Hoche. École primaire
pour jeunes filles. Une grande partie du couvent a disparu par suite du percement de l'avenue du Parc-
Monceau et il est question de démolir le tout.

N° **18**. Hôtel de M. le docteur A. Robin, membre de
l'Académie de médecine.

Avenue Hoche (1854).

Tracée en 1854 à peu près sur l'emplacement de
l'ancienne avenue Ste-Marie (1822-1857). S'appela boulevard de Monceau et avenue de la Reine-Hortense.
Nom actuel en 1879 en l'honneur du général (1768-1797).

N° **50**. Église catholique anglaise dite de St-Joseph
et ancien couvent des Pères Passionnistes anglais.

N° **29**. Emplacement du couvent des Dames Augus-
tines dites Chanoinesses religieuses de St-Augustin de
la congrégation de Notre-Dame. Ce couvent, communément appelé Le Roule, a été fermé en 1906 et démoli
en grande partie. Il en reste un bâtiment aux 37, 35. Sur
l'emplacement du couvent on a ouvert en 1908 une rue
nouvelle qui s'appelle **avenue du Parc-Monceau**.

N° **28**. Mlle Wanda de Boncza, sociétaire de la
Comédie-Française, enlevée prématurément, y habita.

N° **18**. Consulat d'Espagne.

N° **14**. Habité par M. Georges Hüe, compositeur de musique.

L'avenue Hoche possède plusieurs belles maisons ou hôtels particuliers modernes parmi lesquels on peut citer :

Les 60 (hôtel de Mme de Sand), 58 (hôtel de M. R. Huet), 54, 40 (hôtel de M. le marquis d'Albuféra), 34 (hôtel de M. Dupont), 32 (construit en 1908 par l'architecte E. Bertrand), 30 (hôtel de Mme Robert), 20, 18 *bis* (hôtel de M. Gentil), 12 (hôtel de M. Arman de Caillavet), 6, 4 *bis* (hôtel de Mme A. Dumez), 4 (qui fut légation de Chine et qui possède une salle de fêtes), 5 (hôtel de M. le comte de Ségur-Lamoignon), 7 (ambassade du Japon), 9 (salle Hoche et atelier de M. G. Van der Straeten, statuaire), 15, 19 (hôtel de M. A. Bathala), 21 (hôtel de Mme M. Heine), 23 (hôtel de Mlle M. Courbe), 47, 57, etc.

Avenue de Friedland.

Ouverte en 1814 entre la place de l'Étoile et la rue de Tilsitt, et prolongée jusqu'au faubourg St-Honoré en 1857. Nom en 1864 en mémoire de la victoire de 1807. S'est appelée boulevard Beaujon.

Le pavillon de la Chartreuse-Beaujon donnait 10, avenue de Friedland. Ce pavillon avait été construit par l'architecte Girardin dans le parc de la folie Beaujon, qui était planté de cèdres et renfermait un moulin à vent. En 1787, Bergerac, receveur général des finances, acquit la propriété qui passa ensuite entre les mains de la famille Wanderberghe ; elle fut morcelée et le parc fut converti en jardin public sous le nom de jardin Beaujon où on éleva à grands frais les montagnes françaises, qui étaient un divertissement. Le jardin disparut en 1824 et fut vendu par lots.

Le pavillon de la Chartreuse appartint alors à Théodore Gudin, peintre de marines, il fut remplacé par l'hôtel S. de Rothschild (11, rue Berryer). Les murs de cette propriété portent actuellement le numéro 12 sur l'avenue Friedland. A l'angle de la rue Beaujon et de la rue Arsène-Houssaye sur l'emplacement du 28 environ actuel de l'avenue se trouvait l'hôtel rose du duc de Brunswick, hôtel qui après avoir appartenu au duc de Trévise a disparu en 1870. Cet hôtel avait été construit par Lola Montès, cette fameuse danseuse qui, sifflée sur une scène de théâtre, détacha ses jarretières rouges pour les jeter par manière de défi au nez des spectateurs, et eut des aventures si bruyantes en Bavière.

N° **42**. Hôtel de Mme la baronne J. de Rothschild. Au 38, hôtel de Mme la comtesse de Puyfontaine. Au 43, hôtel de M. le baron R. de Rothschild.

N° **39**. Hôtel de style Renaissance avec médaillons de Clésinger. Construit par Arsène Houssaye qui y habita, y donna des redoutes célèbres et y mourut en 1896. Fut habité avant 1907 par son fils M. H. Houssaye, l'éminent académicien. Hôtel de M. A. David.

N° **37**. Hôtel de style mauresque construit comme le 39 par Arsène Houssaye, et loué ensuite à la marquise de Caux. Hôtel de M. H. Ehrmann. Ces deux hôtels 39 et 37 sont sur l'emplacement du jardin du château à trois tours qu'Arsène Houssaye avait fait construire. Ce château avec parc, fontaines, bosquets, grottes, treilles a été détruit par l'avenue Friedland. Il s'élevait lui-même sur un emplacement précédemment occupé par deux petits hôtels d'architecture gothique et chinoise,

élevés par le comte de Lamscone. Houssaye loua son
hôtel à lord Seymour.

N° **33**. Visiter ici la rue de Châteaubriand dont la
notice est plus bas.

N° **27**. Hôtel de M. le comte N. Potocki.

N° **23**. Église espagnole du Corpus Christi (1874).
Elle était desservie avant 1906 par les Pères du
St-Sacrement, dont le couvent sous le second Empire
s'étendait jusqu'au 14 de la rue de Chateaubriand.

En face de l'église espagnole, de l'autre côté de
l'avenue se trouve la statue de Balzac, œuvre de Fal-
guière, érigée en 1902 par la Société des gens de lettres.

N° **18**. Habité par M. M. Lobre, artiste peintre.

N° **21**. **Rue Lamennais** (1842). S'appela jusqu'en
1881 rue du Centre, parce qu'elle avait été percée au
centre de la folie Beaujon. Nom actuel en mémoire du
philosophe et théologien (1782-1854). Hôtels aux 4, 5,
6, 10. Au 13, est la légation du Mexique.

N° **11**. Hôtel de M. E. Porgès, et non loin beaux
immeubles, aux 5, 3, etc.

Rue de Chateaubriand (1825).

Percée sur une partie des jardins Beaujon, partie qui
avait été acquise par Mme Hamelin. S'appela avenue
puis rue en 1863. Nom en l'honneur du litttérateur et
homme politique (1769-1848). Béranger habita l'avenue
de Chateaubriand.

N° **16**. Écuries de l'hôtel du comte N. Potocki. (27,
avenue de Friedland.)

N° **17**. Décoré de bustes et de statues.

N° **12**. Le général marquis de Galliffet y mourut en
1909.

Nᵒ 11. Passage privé aboutissant 13, rue Washington.

Nᵒ 13. Rue Lord-Byron (1825). Doit son nom au poète anglais (1788-1824), qui habita ainsi que Théophile Gautier une maison qui se trouvait sur l'emplacement du 16. Au 1 habita Lamennais en 1848 : c'est aujourd'hui l'hôtel de M. le comte Durieu de Lacarelle. Le 5 est d'un style pseudo-Renaissance. Au 18, hôtel de M. J. Comte, membre de l'Institut, directeur de la *Revue de l'Art ancien et moderne.*

Avenue Marceau (côté pair).

Commencée en 1854 du côté de l'Étoile et achevée en 1860. S'appela avenue Joséphine. Nom actuel en 1879 en l'honneur du général (1769-1796). Elle a été tracée sur une partie de l'hospice Ste-Perine et a absorbé une partie de la rue Bizet, une partie de la ruelle Ste-Geneviève (Kepler) et une partie de la rue Newton.

Nᵒ 84. Rue Vernet. Cette rue a été formée sur l'ancien chemin des Vignes qui existait à la fin du xviiᵉ siècle, et une partie de l'ancien promenoir de Chaillot qui avait été créé en 1777. La partie comprise entre l'avenue Marceau et la rue de Bassano a été ouverte de 1848 à 1866 sur l'emplacement de l'ancien Château des Fleurs. Cet établissement était le rival de Mabille : Marie Cabel y débuta. L'entrée faisait face à la rue du Château-des-Fleurs (Bassano). L'établissement fut détruit pour le prolongement de la rue de Bassano à travers les jardins de l'hospice Ste-Perine. Le nom de Vernet a été donné en 1864 à l'ancienne rue des Vignes en l'honneur des Vernet : Joseph (1712-1789), Carl (1738-1836), Horace (1789-1863) qui furent des peintres célèbres.

La rue Vernet possède plusieurs belles maisons où hôtels particuliers comme les 37 (hôtel de M. Salomon, propriété de M. Espivent de La Villeboisnet), 35 (hôtel de Mme R. Colman), 29 (hôtel de Mme la comtesse de Brye), 25 (hôtel de M. R. Étienne), 22, 9 (propriété de M. Demachy), etc.

N° **82**. Hôtel de M. le prince de Vicovaro. Au 80, hôtel de M. Espivent de La Villeboisnet. Au 78, hôtel de M. Houette.

N° **70**. Habité par Mlle M. Brandès, artiste dramatique.

N° **68. Rue Euler**. Tracée en 1865 sur l'emplacement de l'hospice Ste-Perine. Nom en 1867 en l'honneur du mathématicien (1707-1783). Au 16, hôtel de Mme de Francisco-Martin. Au 14 hôtel de M. F. C. Lawrance. Au 10, hôtel. Au 8, hôtel de M. J. Lacourte. Au 7, hôtel de Mme la baronne E. Leonino, etc.

N° **64**. Hôtel de Mme la comtesse de Breteuil. Au 62, hôtel de M. Marcuard.

N° **58**. Légation de Suède. Appartient à l'État de Suède.

N° **56. Rue Christophe-Colomb** (1865). Dénommée en 1867 en l'honneur du célèbre navigateur génois (1436-1506). Au 16, habitait M. Mascart, membre de l'Institut, décédé en 1908. Au 10, maison de Ste-Geneviève fondée par les paroissiens en 1876. Au 8, hôtel de M. le comte de Chabrillan, etc.

N° **54**. Hôtel de Mme la comtesse de Salverte.

N° **42**. Hôtel de Mme Duprada. Au 38, hôtel de M. le baron de Montremy.

N° **36**. Hôtel de M. L. Lefébure. Au 30, hôtel de Mme Watel.

N° **32**. La princesse de la Moskowa, veuve en

premières noces du comte de La Bédoyère, y mourut
en 1884. Habité par M. le comte Vandal, le très éminent
membre de l'Académie française.

N° **24**. Hôtel de M. le marquis de Panisse-Passis. Cet
hôtel, construit en 1882, fut il y a quelques années
victime d'un curieux cambriolage, les voleurs s'y étant
facilement introduits sous prétexte de perquisition.

Nous arrivons à la **place de l'Alma** formée en 1858,
qui doit son nom à la victoire de 1854. De la place part
l'**avenue du Trocadéro** (1858), ex-avenue de l'Empereur qui n'a qu'un petit parcours (du 2 au 6) dans le
VIIIe arrondissement. Au 6 de l'avenue est le consulat
de Perse.

Avenue de l'Alma (1858).

A l'angle de cette avenue et de celle du Trocadéro se
trouvait l'Hippodrome de 1877 à 1793. Le premier
hippodrome était place de l'Étoile (extra muros). Lors
de l'ouverture de l'avenue du Roi-de-Rome (Kléber), il
fut transféré place d'Eylau (Victor-Hugo), où il fut
incendié en 1869. L'avenue de l'Alma possède plusieurs
beaux hôtels modernes.

N° **3**. Hôtel de M. le comte de Caraman.

N° **5**. Habité par M. le comte Albert de Mun, de l'Académie française.

N° **9**. Hôtel de M. le marquis de Ganay. Au 11, hôtel
de M. de Rouvre.

N° **10**. Habité par Mlle Arbell, de l'Opéra.

N° **14**. **Rue La Trémoïlle** (1884). Nom en l'honneur
de Louis de La Trémoïlle, lieutenant général et gouverneur de Bourgogne (1460-1525).

N° **15**. Hôtel de M. le prince de Wagram.

N° **17**. Hôtel de M. le marquis de Moustier, construit par l'architecte Parent décédé en 1909. (Cet architecte avait également construit entre autres l'hôtel de M. le baron E. Seillière, l'hôtel de M. J. Doucet, etc.)

N° **20**. Hôtel de M. A. R. Pick. (Propriété du comte de Beaumont.) Au 22, hôtel. (Propriété de M. Laurent.)

N° **23**. Église épiscopale américaine de la Ste-Trinité. Le clocher nouveau a été érigé en 1907.

N° **28** *bis*. Chapelle des cathéchismes de St-Pierre de Chaillot.

N° **33**. Hôtel de M. le comte B. de Blacas.

N° **38**. Est le même que le 53 rue François-Ier, et le 40 est le même que le 55 de la même rue. Au 29 s'étendent les jardins de l'ancien hôtel de M. de Kerjégu.

N° **44**. Hôtel de Mme A. Darblay (1, rue Vernet).

N° **46**. Hôtel de Mme la comtesse A. de Gramont d'Aster, etc.

Rue François-Ier (1861).

Cette rue possède plusieurs beaux hôtels modernes.

N° **55**. Hôtel de M. P. Lebaudy.

N° **53**. Hôtel de Mme la baronne Roger.

N° **51**. Hôtel de M. N. Térestschenko. (Propriété de Mme la baronne Roger.) Au 48, hôtel de Mme A. Panckouke. Au 34, hôtel de M. le comte de Ruillé. Au 33, hôtel, propriété du comte de Franqueville.

N° **32**. Hôtel de M. le comte de Pange. Au 30, hôtel de Mme P. Mantin.

N° **21**. Hôtel de M. le marquis de Chabert d'Ansac. Au 13, hôtel de Mme Demachy.

N° **11**. Hôtel de M. le baron de Bleichröder.

N° **9**. Hôtel de Mme la comtesse Foucher de Careil.

La place François-Ier a été formée en 1823. On doit y transporter une fontaine qui se trouve encore en 1910 place de la Madeleine.

N° **12**. Ancien hôtel Laurent. Hôtel de Mme la comtesse B. de Clermont-Tonnerre.

N° **8**. Ancien couvent des Assomptionnistes (Chapelle). École Jeanne-d'Arc.

N° **5**. Fut hôtel de Mme Ridgway. Ambassade des États-Unis depuis 1907. M. Roosevelt y descendit en 1910.

Le cardinal Mathieu, membre de l'Académie française, décédé à Londres en 1908, avait un pied-à-terre au 55.

Rue Jean-Goujon (1823).

Nom en l'honneur du grand sculpteur et architecte (1520-1572).

N° **35**. Hôtel de M. de Villeroy. Au 31, hôtel de M. F. Rainbeaux (propriété de M. Johnston).

N° **27**. Hôtel de S. A. R. Mgr le duc de Chartres. Le prince Henri d'Orléans, le vaillant explorateur mort en 1903, y habitait.

N° **25**. Hôtel de M. Ternaux-Compans.

N° **23**. Chapelle de Notre-Dame de Consolation, érigée sur l'emplacement du Bazar de la Charité incendié le 4 mai 1897 et où tant de malheureuses victimes périrent, parmi lesquelles la duchesse d'Alençon. Le nom de ces martyrs de la Charité est gravé sur le marbre dans le Chemin de Croix qui entoure la chapelle.

N° **14**. Habité par M. Pierre Decourcelle, homme de lettres.

N° **12**. Hôtel de M. D. de Rougemont.

N° **15**. Église arménienne.

N° 9. Victor Hugo y habita en 1833 (au deuxième étage). La maison appartenait alors à M. de Mortemart et à Cavaignac. Imbert de St-Amand y naquit en 1834. La maison a été reconstruite en 1859, et fut l'hôtel de la comtesse de Marle.

N° 7 *bis*. Hôtel de Mme F. Moreau. Au 6, hôtel de Mme M. Bianchi.

N° 4. Habité par Mme E. Eames, artiste lyrique.

Avenue d'Antin.

Plantée en 1723 par le duc d'Antin. Avant 1830, c'était un endroit peu sûr. Au rond-point se trouvait le bal de Flore. Plus bas florissaient le bal d'Isis, le bal des Nègres et plus récemment le Jardin de Paris qui a disparu en 1900 lors de la création du Grand Palais. Le prolongement de l'avenue d'Antin, du Rond-Point à la rue du Faubourg-St-Honoré, a été exécuté après la guerre. On doit inaugurer au coin de l'avenue et du Cours-la-Reine le monument de Musset, œuvre du sculpteur Moncel.

N° 1. Nélaton y mourut en 1893.

N° 9. Marguerite Gauthier (la Dame aux Camélias) y habita.

N° 9. Hôtel de Mme la comtesse Le Marois.

N° 19. Le président Carnot y habita. Aujourd'hui Légation du Danemark.

N° 25. Mme Réjane, artiste dramatique, y habita en 1900, puis elle alla au 15, qu'elle quitta pour aller 12, rue du Berri.

N° 27 *bis*. Impasse d'Antin (1800).

N° 31. Hôtel de M. le docteur Roussy. Au 43, hôtel de Mme la baronne Gourgaud.

N° 49. Félix Nadar y mourut en 1910. Il fut un des

premiers apôtres du « plus lourd que l'air » et prévit
dès 1864 le succès de Blériot de 1909. Ce fut lui qui
construisit l'immense ballon *le Géant*. Nadar fut photo-
graphe, chroniqueur, auteur dramatique, aéronaute,
caricaturiste, etc.

N° **53**. Institut Rody (1860). (Salle pour conférences
et auditions.)

N° **10**. Hôtel de M. le prince N. d'Obidine. Au 24,
hôtel de M. le vicomte de Bonneval. Au 22, hôtel de M. le
baron de Mackau.

N° **26**. Nous voyons ici une façade de l'hôtel du
marquis de Barthélemy (107, rue du Faubourg-St-
Honoré), occupé aujourd'hui par un couturier.

Avenue Montaigne.

Ancienne allée des Soupirs en 1730 et allée des
Veuves en 1731. Créée en 1770 par le marquis de Marigny,
qui créa également l'avenue Matignon et l'avenue de
Marigny. Allée Montaigne en 1850 puis avenue Montaigne en 1852. Nom en l'honneur du célèbre philosophe
et moraliste français (1533-1592). Mlle Raucourt habita
allée Montaigne. A l'extrémité du côté de la Seine se
trouvait la chaumière de Mme Tallien (31, allée des
Veuves). La chaumière fut morcelée et Tallien y habitait
encore en 1817 une aile qui subsistait et où la princesse
de Chimay le forçait d'accepter un modeste pied-à-terre.
L'autre partie était devenue un vide-bouteille à l'enseigne
de l'Acacia. Tallien mourut en 1820 et fut enterré au
Père-Lachaise. En 1891, un comité organisa une matinée
à l'Élysée-Montmartre pour le rachat et la conservation
de sa sépulture abandonnée.

N^{os} **53-51**. Le 53 est sur l'emplacement de la ruelle de la Buvette-Champêtre en 1813. Les 53, 51, 49, sont sur l'emplacement du bal Mabille (1840) qui avait été créé lui-même sur l'emplacement de l'ancien Petit-Moulin-Rouge. Primitivement ce fut un bal de gens de maison. Acheté par le père Mabille et transformé en 1844. Ce fut le rendez-vous des *lionnes*. Pomaré (Rose Sergent) y créa la polka. Le danseur Chicard (de son vrai nom Lévêque) y tournait au son de l'orchestre de Pilodo. Sous l'Empire, l'orchestre était celui d'Olivier Métra et Rosalba la nouvelle étoile. Céleste Mogador y apprit à tirer le pistolet. Cet établissement fréquenté et resté célèbre fut fermé en 1875. Au 47, était l'impasse Ruffin fermée aujourd'hui.

N° **50**. Bel hôtel de M. le comte de La Riboisière.

N° **30**. Hôtel de M. de Verneuil (propriété de Mme Boselli). Au 28, hôtel de Mme la comtesse de Saint-Vallier. Au 35, hôtel (propriété de Mme Legrand de Villers). Au 31, hôtel de Mme A. Magne, etc.

N° **22**. Au fond de la cour, maison mauresque construite par J. de Lesseps. Abd-el-Kader y descendit.

N° **20**. Emplacement de la maison gothique du comte de Quinsonas, œuvre de Lassus. Aujourd'hui hôtel de M. E. Stern.

N° **18**. Emplacement de la maison pompéienne du prince Napoléon (1860). Cet hôtel, qui était voisin de l'hôtel Soltykoff, avait été construit par l'architecte Normand et possédait un péristyle, un atrium avec bassin central, et appartements particuliers contournant la cour. (Il existe une autre maison pompéienne à St-Denis, rue Franciade, construite vers 1860 par M. Cailleux.) L'hôtel du prince Napoléon a disparu en 1891, et il est remplacé aujourd'hui par le monumental hôtel de M. J. Porgès.

N° **33**. Habité par M. F. Vandérem, homme de lettres. Siége de la Société hippique française.

N° **21**. **Rue Clément-Marot** (1881). Dénommée en 1883 en mémoire du poète (1495-1544), valet de chambre de Marguerite de Valois. Au 1 est l'hôtel de M. de Bonnechose. Au 3, hôtel de Mme la comtesse de Casa-Miranda. Au 19 est un passage conduisant à la chapelle des catéchismes de St-Pierre de Chaillot (28 *bis*, avenue de l'Alma). Au 14 s'ouvre la **rue de Cérisoles** (1884) qui doit son nom à la victoire de 1544.

N° **29**. Habité par M. G. Schlumberger, membre de l'Institut.

N° **31**. **Rue du Boccador** (1881). Dénommée en 1883 en l'honneur de l'architecte italien Dominique de Cortone, dit le Boccador (XVI°). Au 1, hôtel de Mme Deschamps, construit en 1896. Au 3 habite M. Jean Béraud, artiste peintre, et au 5, M. J.-A Rixens, artiste peintre. Au 6 habita Catulle Mendès, le poète, mort accidentellement en 1909. Au 10 s'ouvre la **rue Chambiges** (1883) qui doit son nom à l'architecte français du XVI° siècle.

N° **17**. A côté de l'ancien hôtel de Heeckeren (1856), qui est au 17, se trouvait officiellement avant 1881 le passage des Douze-Maisons où habita Alphonse Daudet dans sa jeunesse. Avant 1792 ce passage se nommait Passage du Marais-des-Gourdes. Il existe encore aujourd'hui en partie, comme impasse, mais est fermé.

N° **15**. Là se trouvait encore en 1910 le bel hôtel de Mme la marquise de Lillers. Le roi Georges V de Hanovre, atteint de cécité, et sa fille la princesse Frédérique y résidèrent longtemps. Ce bel hôtel a été acheté en 1910 par les actionnaires du Théâtre des Champs-Élysées, et malheureusement cet hôtel vient de disparaître pour faire place au théâtre projeté (avril 1910).

Nº **11**. Fut l'hôtel de Ferdinand de Lesseps et appartient encore à ses enfants.

Nº **9**. Construit en 1883. Fut hôtel de la comtesse de Chateaubriand. Hôtel actuel de M. le comte de Durfort.

Cours-la-Reine.

Créé par Marie de Médicis en 1618 sur d'anciennes cultures de maraîchers. Replantée par le duc d'Antin, cette promenade, qui était à la mode sous la Fronde, était fermée par deux grilles et bordée de fossés creusés aux frais de Bassompierre qui avait sa maison de campagne à Chaillot. Au centre de cette promenade se trouvait un rond-point et aux extrémités se trouvaient deux demi-lunes. La demi-lune de l'extrémité ouest occupait l'emplacement où se trouve actuellement un petit square triangulaire à l'angle de l'avenue Montaigne. Cet emplacement fut occupé durant l'exposition de 1900 par le pavillon de M. Rodin.

Nº **42**. A l'angle de la rue Jean-Goujon, emplacement d'un joli hôtel démoli en 1907. Cet hôtel possédait une rotonde soutenue par d'élégantes colonnes et deux étages surmontés d'un attique centenaire. Il servit de résidence à la duchesse de Berghes et fut utilisé pour les expositions de la Société artistique des Amateurs. Sur l'emplacement de cette maison disparue, se trouvait en 1788 le bureau des Carabas, diligences qui allaient à Versailles en six heures.

Nº **40**. Hôtel modern-style de M. Lalique, orfèvre. Mlle Calvé, artiste lyrique, habita ici avant 1908.

Nº **38**. Hôtel de M. le comte de Vibraye. Au 36, hôtel de M. L. Fould (propriété de M. de Villeroy).

N° **34**. Ancien hôtel de La Ferronnays. Hôtel de M. E. Schneider.

N° **32**. Hôtel de Mme P. Boselli. Le 30, décoré de statues, est l'hôtel de Mme G. Ville.

N° **28**. Hôtel meublé du Palais. Communiquait par une petite fenêtre avec le terrain vague qui longeait le Bazar de la Charité de la rue Jean-Goujon, et par cette ouverture plusieurs personnes purent échapper à l'incendie du 4 mai 1897.

N° **26**. Hôtel de Mme Andral (propriété de Mme la comtesse de Cossé-Brissac). Au 24, hôtel de Mme la comtesse d'Anthenaise.

N° **22** *bis*. Propriété de la Société Jeanne d'Arc (hôtel de Mme Pugat).

Le 20 appartient aux sœurs de l'Assomption.

N° **18**. Hôtel construit par M. Charles Ferry, ancien sénateur décédé en 1909. Son frère Jules Ferry y mourut en 1893. Hôtel de Mme J. Ferry.

N° **16. Rue Bayard** (1823). Nom en l'honneur de l'illustre chevalier sans peur et sans reproche (1546-1624). Au 2, hôtel de M. le comte d'Ussel. Au 8, hôtel de M. G. Roussigné. Au 22, hôtel de M. Nivert, etc. Au 17, est l'église écossaise.

* N° **16**. Maison dite de François Ier. Les sculptures sont de Jean Goujon et la maison a été rapportée pierre par pierre en 1826 de Moret où elle avait été édifiée. Sur la façade, inscription latine qui signifie : « Celui qui sait réfréner sa langue et dompter ses sens est plus fort que celui qui brise les villes par la force ». Cet hôtel fut possédé par le duc d'Acquaviva qui y mourut en 1871.

N° **14**. Hôtel de M. Thierry-Delanoue. Au 12 nous voyons une façade de l'ambassade des États-Unis qui s'ouvre 5, rue François-Ier.

A l'entrée du Cours-la-Reine, à l'endroit où se trouvait en 1900 la Salamandre surmontée de la Parisienne, se trouvait jadis le charmant pavillon de Perronet qui devint le restaurant Boulet et disparut en 1860. Le monument d'Armand Silvestre qui se trouve sur le Cours-la-Reine a été inauguré en 1906.

Le Cours-la-Reine longe le quai de la Conférence.

Quai de la Conférence.

Construit en 1769 et achevé sous le premier Empire. Doit son nom à l'ancienne porte de Paris dite de la Conférence par où entrèrent en 1660 les ambassadeurs espagnols chargés de conférer avec Mazarin au sujet du mariage de Marie-Thérèse avec Louis XIV.

Le quai longe le port de la Conférence et le port dit des Champs-Élysées. Le pont de l'Alma a été décidé en 1854 et il ne fut achevé qu'en 1857 par l'entrepreneur Gabriel. Toutefois, le 2 avril 1856, il livra passage au cortège impérial qui se rendait au Champ-de-Mars pour la remise des drapeaux aux régiments revenus de Crimée. Le pont est orné de quatre statues de soldats. Le zouave et le soldat d'infanterie de ligne sont de Dieboldt, l'artilleur et le chasseur à pied sont d'Arnaud. (Le pont appartient également aux VIIe et XVIe arrondissements.) Le pont des Invalides est de 1855.

Nous parlons du pont de la Concorde dans le VIIe arrondissement. Le port dit de la Concorde s'étend de la rampe amont à la rampe aval du pont. Rappelons que les statues qui ornaient ce pont sont actuellement dans la cour du palais de Versailles. Elles avaient été exécutées dans des ateliers installés place de l'Esplanade et étant trop grandes elles furent retirées à cause du mauvais effet.

La première pierre du **pont Alexandre-III** fut posée par le tzar Nicolas II en présence du président Félix Faure (1896). Le pont, formé d'une seule arche de 107 mètres, sortant des ateliers du Creusot, a été achevé en 1900. A l'entrée se trouvent des pylones surmontés de Pégases dorés que conduisent des Renommées. Ceux de la rive droite sont de M. Frémiet; ceux de la rive gauche de MM. Coutan et Marqueste. Les quatre lions conduits par des enfants sont de M. Gardet (rive droite); ceux de la rive gauche sont de Dalou. Au milieu de l'arche les groupes allégoriques sont de Recipon.

Avenue Alexandre-III (1900).

Reçut primitivement le nom d'avenue Nicolas-II. Nom actuel en 1901, en l'honneur du tzar de Russie (1845-1894).

Le Grand Palais a été construit pour l'Exposition universelle de 1900, sous la direction de MM. Deglane, Louvet, Thomas, et décoré par MM. Verlet, Boucher, Gasq, Carlès, Cordonnier, etc. C'est le Grand Palais des Beaux-Arts, élevé à la gloire de l'Art français. Malgré son titre officiel de Palais des Beaux-Arts, le Grand Palais sert à diverses expositions et au concours hippique (salons des automobiles, du mobilier, etc.). Le premier salon de l'Aéronautique, s'y est tenu en 1909 et a été inauguré le jour même de la terrible catastrophe du dirigeable *République*.

Le Petit Palais, qui passe pour le chef-d'œuvre de l'architecture contemporaine, a été construit sous la direction de M. Charles Girault, actuellement architecte du Louvre, et inauguré en 1900. Il contient le Musée des Beaux-Arts de la Ville de Paris et des collections parmi lesquelles se trouve la magnifique collection Dutuit, la collection Carriès (don de M. Hœntschel), la collection Courbet (don de Mlle Courbet), le legs Henner, la collection Ziem, etc. Le conservateur actuel est M. H. Lapauze, qui est logé au Petit Palais, ainsi que Mme Lapauze, bien connue en littérature sous le nom de Daniel Lesueur. (M. Lapauze a publié à la fin de 1909 une monographie du Palais des Beaux-Arts de la Ville de Paris.)

En 1904, on a donné le nom d'avenue Dutuit à l'avenue qui du Petit Palais conduit au Cours-la-Reine.

RÉPERTOIRE ALPHABÉTIQUE

DES RUES DU VIIIᵉ ARRONDISSEMENT

Conférence (port de la), 108.
Conférence (quai de la), 108.
Constantinople (de), 46.
Copenhague (de), 42.
Corvetto, 51 .
Courcelles (boul. de), 62.
Courcelles (de), 59.

Dany (imp.), 48.
Daru, 62.
Douze-Maisons (imp. des), 105.
Duphot, 10.
Duras (de), 73.
Dutuit (av.), 110.

Edimbourg (d'), 42.
Elysée (de l'), 73.
Etoile (place de l'), 90.
Euler, 98.
Europe (place de l'), 44.

Faubourg-St-Honoré (du), 64.
Florence (de), 43.
Fortin (imp.), 36.
François Ier (place), 101.
François Ier, 100.
Frédéric-Bastiat, 34.
Friedland (av. de), 94.

Gabriel (av.), 82.
Galilée, 89.
Général-Foy (du), 50.
Greffulhe, 13.

Hambourg (de), 44.
Haussmann (boul.), 57.
Havre (cour du), 40.
Havre (place du), 41.
Havre (du), 41.
Henri-Lepage (cité), 84.
Hoche (av.), 93.
Horloge (cour de l'), 48.

Invalides (pont des), 108.
Isly (de l'), 41.

Jean-Goujon, 101.

La-Baume (de), 58.
La-Boëtie, 36.
Laborde (place de), 49.
Laborde (de), 49.
Laborde (sq. de), 49.
Lamennais, 96.
Larribe, 47.
La-Trémoïlle, 99.
Lavoisier, 19.
Lincoln, 86.
Lisbonne (de), 53.
Londres (de), 44.
Lord-Byron, 97.
Louis-XVI (sq.), 16.

Madeleine (boul. de la), 10.
Madeleine (gal. de la), 12.
Madeleine (pass. de la), 12.
Madeleine (place de la), 10.
Madrid (de), 46.
Magellan, 88.
Malesherbes (boul.), 56.
Maleville, 51.
Marbeuf, 84.
Marceau (av.), 97.
Marignan (de), 83.
Marigny (av. de), 70.
Mathurins (des), 14.
Matignon (av.), 81.
Matignon, 31.
Messine (av. de), 52.
Messine (de), 52.
Messine (sq. de), 52.
Miromesnil (de), 29.
Mollien, 51.
Monceau (de), 53.
Monceau (parc de), 62.
Montaigne (av.), 103.
Montaigne, 33.
Montalivet, 21.
Moscou (de), 43.
Murillo, 55.

Naples (de), 42.
Néva (de la), 64.

Odiot (cité), 88.

Parc-Monceau (av. du), 93.
Pasquier, 16.
Paul-Baudry, 34.
Pelouze, 43.
Penthièvre (de), 30.
Pépinière (de la), 39.
Percier (av.), 58.
Pierre-Charron (imp.), 85.
Pierre-Charron, 85.
Pierre-le-Grand, 63.
Ponthieu (de), 34.
Portalis (av.), 50.
Portalis, 50.
Presbourg (de), 90.
Prosper-Goubaux (place), 42.
Provence (de), 41.
Puteaux (pass.), 15.

Rabelais, 32.
Reine (cours la), 106.
Rembrandt, 54.
Renaissance (de la), 85.
Retiro (cité du), 24 et 77.
Richepanse, 10.
Rigny (de), 57.
Robert-Estienne, 85.
Rocher (du), 46.
Rome (cour de), 40.
Rome (de), 41.
Roquépine, 27.
Roule (sq. du), 65.
Roy, 38.
Royale, 77.

Ruffin (imp.), 104.
Ruysdaël (av.), 54.

Saussaies (place des), 28.
Saussaies (des), 28.
Sèze (de), 11.
Stockholm (de), 41.
Surène (de), 21.
St-Augustin (place), 49.
St-Florentin, 9.
St-Honoré, 9.
St-Lazare, 40.
St-Pétersbourg (de), 45.
St-Philippe-du-Roule (pass.), 68.
St-Philippe-du-Roule, 36.

Téhéran (de), 52.
Ternes (place des), 64.
Tilsitt (de), 90.
Treilhard, 51.
Trocadéro (av. du), 99.
Tronchet, 13.
Tronson-du-Coudray, 16.
Turin (de), 43.

Valois (av. de), 56.
Van-Dyck (av.), 61.
Velasquez (av.), 56.
Vernet, 97.
Vezelay (de), 55.
Vienne (de), 45.
Vignon, 13.
Ville-l'Evêque (de la), 25.

Wagram (av. de), 92.
Washington, 88.

444-10. — Coulommiers. Imp. PAUL BRODARD. — 5-10